ANGÉLIQUE

OU

L'ENCHANTEMENT

OUVRAGES D'ALAIN ROBBE-GRILLET

Un régicide, *roman, 1949.*
Les gommes, *roman, 1953.*
Le voyeur, *roman, 1955.*
La jalousie, *roman, 1957.*
Dans le labyrinthe, *roman, 1959.*
L'année dernière à Marienbad, *ciné-roman, 1961.*
Instantanés, *nouvelles, 1962.*
L'immortelle, *ciné-roman, 1963.*
Pour un nouveau roman, *essai, 1963.*
La maison de rendez-vous, *roman, 1965.*
Projet pour une révolution à New York, *roman, 1970.*
Glissements progressifs du plaisir, *ciné-roman, 1974.*
Topologie d'une cité fantôme, *roman, 1976.*
Souvenirs du triangle d'or, *roman, 1978.*
Djinn, *roman, 1981.*

Romanesques
I. Le miroir qui revient, *1985.*
II. Angélique, ou l'enchantement, *1988.*
III. La mort de Corinthe, *à paraître un jour.*

ALAIN ROBBE-GRILLET

ANGÉLIQUE

OU

L'ENCHANTEMENT

LES ÉDITIONS DE MINUIT

L'ÉDITION ORIGINALE DE CET OUVRAGE A ÉTÉ TIRÉE
A QUATRE-VINGT-DIX-NEUF EXEMPLAIRES SUR VELIN
CHIFFON DE LANA, NUMÉROTÉS DE 1 A 99 PLUS DIX
EXEMPLAIRES HORS COMMERCE NUMÉROTÉS DE
H.-C. I A H.-C.X

ISBN 2-7073-1159-6

Dans le dessin des choses immobiles, autour de moi, je vois sans cesse apparaître des visages : des visages humains qui se forment, se figent et me regardent en grimaçant. Mais c'est là, m'a-t-on dit, une prédisposition qui n'a rien d'exceptionnel : tout le monde se surprend ainsi à reconnaître, sans même y penser, dans les nœuds et veines du bois (plancher de chêne, secrétaire en loupe d'orme, table de noyer tachée d'encre), ou bien dans les fissures au plafond dont se décollent de larges écailles d'enduit grisâtre, au-dessus des hautes fenêtres, ou plus souvent encore dans le papier peint à fleurs autrefois vives, aujourd'hui fanées, sur les murs de ma chambre assombris par la nuit qui vient, les formes évidentes d'un nez busqué, d'une fine moustache, de deux yeux enfoncés dans leurs orbites à la symétrie douteuse, d'une bouche qui se convulse dans un cri, un rire excessif, ou bien ici dans une sorte de bâillement distordu, grotesque, et ici au contraire un rictus crispé, amer, douloureux. Car ce ne sont pas des visages neutres, abstraits ; il s'agit même presque toujours de figures fortement expressives, vues de face ou de trois quarts, plus rarement de profil, si particulières qu'elles pourraient faire

7

penser à des monstres de foire, à des blessés de guerre aux traits ravagés par le fer et le feu, ou encore à de simples caricatures satiriques dans un journal. Pourtant leur expression, bien que marquée de façon si peu discrète, reste en général ambiguë et susceptible d'interprétations diverses, contradictoires, selon l'heure ou selon l'éclairage, selon le jour, selon l'humeur.

Il m'arrive aussi d'en identifier tout à coup le modèle : un acteur célèbre au masque très accusé, un homme politique qui fut longtemps la cible favorite sur qui s'acharnait la presse à scandale, ou quelqu'un seulement de ma famille, de mes amis, de mon plus ou moins proche entourage. Parfois, bien qu'à vrai dire en de trop peu fréquentes occasions, surgit de façon plus fugitive, dans le flou des feuillages et des corolles incertaines, le sourire troublant d'une jolie fille, mais fuyante, vaporeuse, prête à s'évanouir derrière les contours mouvants des bouquets et guirlandes, eux-mêmes effacés par le temps, pâlis, brouillés, interrompus, surtout dans ces régions du mur où la lumière venue de l'extérieur frappe directement la tapisserie au motif immémorial, à gauche par exemple du bureau en noyer noueux où, accoudé de biais parmi les feuilles éparses de mes brouillons successifs, j'écris maintenant le nom tremblant d'Angélica... Pourquoi me poursuit-il encore ? ... Pourquoi m'as-tu quitté, petite flamme, me laissant transi, solitaire, au milieu de la pluie et du vent ?

Les morts vont vite, agités par la bourrasque sur leurs chevaux de nuages gris, déchiquetés, dans le ciel incertain de ce premier printemps qui s'approche, et qui sera le dernier printemps. Les morts vont vite. Ils se succèdent en troupe serrée. Ils s'appellent Gauvain, Tristan de Léonnois, Perceval, Lancelot du Lac, Arthur de

Bretagne... Leur galop houleux menace à chaque instant de les faire choir du haut de leurs selles mal arrimées, le corps guindé dans son armure blanche incliné dangereusement vers l'arrière, puis déhanché de manière excessive sur le côté droit, et soudain penchant de l'autre côté. On redoute l'image fatale du chevalier bardé de métal bringuebalant jeté à terre, le pied resté pris dans l'étrier, traîné par son destrier fou, Mazeppa, Brunehaut, à travers les forêts et les rocs. Mais l'escadron fantôme continue sa route, tant bien que mal, emporté par le vent d'ouest qui souffle en rafales depuis trois jours. D'autres bientôt les suivent, qui se nomment Richard de Gloucester, Macbeth comte de Glamis, Joseph K., Sartoris, Ivan Karamazov et son frère Dimitri, Boris l'usurpateur, Edouard Manneret, Nicolas Stavroguine... Et derrière eux, d'autres viennent encore, pantins véhéments que les sautes d'air désarticulent, tordent comme oriflammes au combat, disloquent en lambeaux de fumées, pour les recomposer un peu plus loin sous de nouveaux harnachements.

Juste au-dessous, entre les branches dénudées du quadruple alignement des hêtres qui marquent son imposante allée d'honneur, la Maison Noire, dans une lumière orageuse de fin d'hiver, se dresse inutile et tenace, telle un vieux navire désarmé, battu par les vagues immuables comme elle, sur qui tomberait la neige : neiges d'enfance et de terreur, neige des rêves, neiges séculaires, neiges du souvenir. Je me rappelle qu'après la publication de *Dans le labyrinthe,* le premier de mes romans dont la grande presse ait rendu compte avec quelque faveur, Roland Barthes au contraire me reprochait cette neige trop insistante qui descendait lentement sur la ville investie par l'adversaire, après la défaite militaire de Reichenfels où le lieutenant-colonel de Corinthe, comme je l'ai déjà rapporté, s'était illustré avec un vain panache à la tête de ses dragons. La trop forte « adjectivité » de ces flocons, prétendait Barthes, qui recouvraient peu à peu la cité déserte d'un linceul inexorable, leur conférait une sorte de valeur métaphorique, dont nous avions justement condamné l'un et l'autre les effets pervers : la formation sur toutes choses d'une croûte poisseuse qui leur ôtait en fin de compte évidence et réalité.

Aujourd'hui comme alors, cependant, je n'écris jamais rien sans le voir dans mes yeux de façon quasiment matérielle. Ainsi s'éternise en ce moment, devant moi, la chute régulière des innombrables taches blanches impalpables qui défilent de haut en bas, toutes à la même vitesse uniforme et sereine, comme également réparties à la surface d'un rideau de scène dont l'invisible trame se déroulerait dans un mouvement lisse, continu, à partir de quelque inépuisable réserve occupant les cintres, hors champ, sans paraître pourtant augmenter de façon notable la couche déjà épaisse qui recouvre le décor vide, les rues abandonnées, le pont d'un cargo sans équipage, mon bureau d'écrivain.

Deux adjectifs, dès le premier feuillet, se sont répétés sous ma plume : incertain, excessifs. Ce n'est sans doute pas le fruit du hasard ni d'une coupable négligence. L'excès de présence qui fige les choses et les met en suspens (cette neige qui tombe maintenant, immobile, au-dessus du paysage hivernal sur quoi donne ma fenêtre, cadre en attente, écran, page blanche) n'a d'égal en effet dans sa dérisoire précision que l'incertitude des liens unissant les images entre elles — chevaliers errants ou navire mort — comme à d'éventuelles significations, sans cesse remises en cause, épaves à la dérive que le flot submerge à chaque lame, soulève une seconde et menace aussitôt d'engloutir, tant elles sont fragiles, passagères, aléatoires.

C'est donc la Maison Noire, à nouveau, après une averse de neige fondue. Le ciel va vite, d'ouest en est, instable et fragmenté : plages très sombres aux reflets de plomb qui s'effilochent entre des trous plus clairs, d'un gris jaune étincelant. Sous cette lumière mouillée, tous les détails du tableau reluisent d'une façon exagérée, presque suspecte : les feuilles rousses aux contours encore intacts qui forment un épais tapis détrempé, sur le sol, de part et d'autre de l'allée centrale plus boueuse où les sabots d'un cheval ont marqué leurs empreintes quasi magiques dans l'humus, les gouttelettes de cristal suspendues en chapelet sous quelques hautes graminées éparses, desséchées par l'hiver et recourbées en arceaux, et enfin, dominant le tout, les ramures nues des vieux hêtres immenses, dont le contre-jour souligne d'un trait brillant chaque ligne d'encre du réseau enchevêtré.

Tout au fond, la façade austère de la vaste demeure se trouve encore assombrie par le ruissellement de l'eau qui donne au granit, dès que sa surface est humide, une teinte charbonneuse, faisant ainsi ressortir davantage les hautes fenêtres à petits carreaux du premier étage, miroirs discontinus dont le verre grossier ajoute ses irrégularités propres, mouvantes à leur tour, aux reflets qu'ils renvoient des rapides nuées changeantes, échevelées. C'est comme des chevaux blêmes qui chargent ou des cheveux blonds qui s'envolent, tournoient, et bientôt se défont. Mais soudain, dans un bref intervalle

11

obscur entre deux éclaircies, la réflexion du ciel dans les vitres cède un instant la place à ce qui se trouve derrière la croisée, à l'intérieur d'une des chambres ; un visage d'homme apparaît — fine moustache, nez busqué, yeux profondément enfoncés dans leurs orbites — où le visiteur tardif reconnaît sans mal, en dépit de la distance et des importantes déformations dues à un carreau défectueux, les traits sévères d'Henri de Corinthe, figé lui-même et comme aux aguets.

Le comte Henri a dû quitter sa table de travail pour observer le temps qu'il fait au dehors, dans l'espoir impatient, anxieux, de voir arriver au bout du chemin le messager qui est attendu ce soir. Pourtant, ses regards ne paraissent pas abaissés sur le sol spongieux de l'allée d'honneur, mais levés tout au contraire vers les nuées aux cavaliers fantômes, aux étendards déployés, aux chevelures féminines défaites. Puis il se retourne en direction des papiers répandus sur toute la superficie de la grande table en noyer, rectangles blancs au format commercial ordinaire, entièrement recouverts d'une fine écriture à l'encre noire surchargée de ratures, qui constituent les multiples brouillons successifs du manuscrit auquel il consacre depuis plusieurs années la majeure partie de ses loisirs, et dont un célèbre éditeur parisien fera disparaître l'unique exemplaire final dans des conditions encore aujourd'hui controversées (ainsi que je l'ai déjà signalé dans le premier tome de ce mémoire), obligeant donc les héritiers à une épuisante et douteuse entreprise de reconstitution à partir de fragments disparates ou contradictoires, tous inachevés, dont l'abondance n'empêche nullement qu'il y manque peut-être maint détail précieux, sinon même des éléments capitaux.

Au-delà du bureau ainsi garni de feuilles en désordre qui forment par endroit un épais tapis, se dresse l'armoire à glace où se reflète mon image, si peu distincte dans la pénombre qu'il m'a semblé d'abord découvrir à l'autre bout de la pièce un étranger, qui se serait introduit là sans bruit tandis que j'avais le dos tourné vers la fenêtre. Vues de l'extérieur, les parois en pierres grises ajustées, sans aucune fioriture, surprennent toujours le nouvel arrivant — quel que soit le côté par lequel il aborde la massive gentilhommière — à cause de ses ouvertures très hautes qui devraient en principe procurer un éclairage intérieur tout à fait satisfaisant. C'est là du moins la première impression du visiteur. Mais, dès qu'il a pénétré dans n'importe laquelle des chambres ou salles communes, ce qui le frappe au contraire, c'est la demi-obscurité qui règne ici en permanence, même en plein jour et par temps clair, même si les hêtres tout proches n'ont pas encore leur feuillage d'été.

J'ai longtemps pensé, d'une manière plus ou moins inconsciente, que ce nom de « Maison Noire » provenait justement des anormales ténèbres où la presque totalité des pièces était plongée, c'est-à-dire à la seule exception des espaces situés à proximité immédiate d'une de ces croisées tout en hauteur, inutilement impressionnantes. A présent, je crois davantage qu'il s'agit d'une traduction française approximative, provenant du breton *Ker an dû,* nom de lieu-dit assez fréquent dans la région, qui signifierait plutôt « la maison du noir », là où habite l'homme noir, ou quelque chose de ce genre. C'est d'ailleurs un remarquable effet de noirceur que me procure à ce moment précis ma propre figure, car c'est bien moi dont le reflet vient de surgir dans les profondeurs assombries du miroir (lequel m'a surpris par sa présence fortuite sous un angle inattendu : tourné de quelques degrés par rapport à la position normale dont j'ai l'habitude), qui occupe toute la porte à un seul battant (demeurée donc, par exception, entrebâillée) de la lourde armoire à glace en acajou massif, fabriquée par un artisan local pour mon arrière grand-père Marcelin Perrier avec une bille de bois des îles rejetée à la côte après un naufrage.

Je m'approche, afin de refermer la porte du meuble, qui grince légèrement comme toujours, en fin de course, et je puis ainsi m'examiner de plus près, tout à loisir, dans la glace aux pénombres glauques. D'abondants cheveux noirs en désordre, qui commencent juste à grisonner, réduisent sous leurs boucles retombantes la partie visible du front, que limitent au-dessus des yeux (à la couleur indécise d'algues brunes) de forts sourcils en accent circonflexe, dont un long pinceau rebelle, du côté droit, se relève en pointe vers le haut de la tempe, comme on voit aux guerriers grimaçants sur les estampes japonaises. Une moustache et une épaisse barbe, où les poils blancs sont encore peu nombreux (mise à part la précise touche argentée, cependant, soulignant le côté gauche du menton), mangent presque tout le reste du visage, dont ressort surtout un nez très marqué, nettement convexe, que je tiens de ma mère et qui se nomme dans le folklore familial « le nez des Perrier ».

La chronique du clan conserve aussi la mention lapidaire, portée sur le passeport que maman s'était fait établir pour se rendre au Maroc, vers le début des années 30 (son voyage de plusieurs jours en chemin de fer à travers le Sud-Ouest inconnu, les Pyrénées, toute

14

l'Espagne et Gibraltar nous apparaissait alors comme une hardiesse d'explorateur), afin de passer un moment avec son amie de cœur qui avait offert le billet de train, après avoir transporté son cabinet dentaire depuis Brest jusqu'à Rabat. « Nez vexe, yeux jaunes », signalait le document officiel dont la formule peu flatteuse, aussitôt et définitivement adoptée par papa, lui semblait définir à merveille l'aspect d'oiseau de proie démoniaque qu'il attribuait volontiers à son épouse dans les scénarios d'exubérance et de comédie où il affectait d'en avoir peur.

De temps à autre, lorsque je ressens le besoin, pour quelque entrevue ou mondanité, de soigner mon aspect physique auquel j'attache en général assez peu d'importance, je dégage tout à fait mes lèvres (dissymétriques comme celles de mon père) avec rasoir et ciseaux, ainsi que plus largement le haut des joues, sous les pommettes. Mais j'ai négligé cette taille fastidieuse depuis plus de trois semaines, comme cela m'arrive souvent durant les périodes solitaires où je vis à la campagne et ne fais qu'écrire ou m'occuper du jardin. Les jours où je viens de raser ces étroites zones du visage qui doivent en principe rester glabres, je distingue nettement, du côté gauche, juste sous la lèvre inférieure, l'une des petites cicatrices laissées par la police tchécoslovaque, fine ligne blanche incurvée, soulignant un léger ressaut de la chair fendue à cet endroit par les coups de poing, faille géologique encore peu sensible mais qui s'accentue progressivement avec l'âge.

Du même côté, sous la pommette, la marque longtemps très visible d'une autre blessure, faite par l'oreille d'un cheval en bois qui m'avait transpercé la joue, près d'un demi-siècle plus tôt, tend au contraire à s'effacer.

Ces diverses traces suspectes en surface se remarqueront d'ailleurs de moins en moins, à mesure que deviendront plus larges et plus foncées les taches noires qui sont le signe de la vieillesse, semblable à celui de l'automne sur les feuilles du rosier. C'est quelques mois seulement après l'incident de Bratislava, à peu près au moment où paraissait *Projet pour une révolution à New York,* il y a donc maintenant une quinzaine d'années, que je me suis laissé pousser la barbe, et cela sur les conseils de Catherine qui me trouvait auparavant le visage mou, dépourvu de présence, accrochant mal la lumière et pour tout dire peu photogénique, tare sans aucun doute fâcheuse, aujourd'hui, pour un homme de lettres.

Je portais seulement jusque-là une moustache assez étroite, que je jugeais moi-même plutôt ridicule, mais dont je n'aurais pour rien au monde fait le sacrifice, par une sorte de superstition mal définie à caractère fétichiste, prétextant que je ne l'avais jamais rasée depuis que l'ombre m'en était venue, au début de la « drôle de guerre ». J'avais dix-sept ans, à l'époque, et les cheveux éternellement trop longs, ébouriffés dès le matin par un rude trajet à pied de sentiers cailouteux en pavés pentus, puis dalles de granit polies par l'usure, depuis la plaine de Kerangoff jusqu'au lycée de Brest : plus d'une demi-heure de course — toujours en retard — sous la pluie et le vent de noroît, qui soufflait parfois si fort sur le vieux pont tournant de Recouvrance qu'il produisait des oscillations contrariées dans les deux moitiés du tablier mobile, les disjoignant par instant de façon très inquiétante, en écartant les lèvres métalliques du raccord normalement ajusté dans la chaussée d'asphalte, devenu soudain marche mouvante, ou encore intervalle vide plongeant vers l'eau, quelques dizaines de mètres plus bas, au mitan de la rivière entre les torpilleurs alignés. Il me semble que cette impression de faille houleuse doit se retrouver, je ne sais plus où, dans *Les gommes* probablement.

Lorsque le grand pont était fermé au trafic, par trop grande tempête ou pendant les manœuvres d'ouverture (sa machinerie très lente était actionnée à bras par une douzaine de marins peinant sur des cabestans), il nous fallait descendre jusqu'à la berge et traverser par le « petit pont », fait d'une succession de radeaux retenus entre eux par des chaînes, pour remonter ensuite sur l'autre rive jusqu'en haut de la falaise où la ville était construite, trottant de plus belle pour rattraper le temps perdu. J'imagine que l'incertaine moustache naissante ajoutait encore au négligé de ma figure échevelée, car mes petits camarades de mathématiques élémentaires m'avaient surnommé Raspoutine (et par abréviation : Raspou), ce qui me fait rire en ce moment parce que la diaphane Arielle D. vient de me proposer d'interpréter ce rôle, comme acteur, dans un film qu'elle est en train d'écrire et dont elle doit assurer la mise en scène.

Pourquoi pas ? Il y a donc des gens qui me prêtent ce masque diabolique, alors que je me vois souriant et mesuré, sensuel certes à cause d'une bouche assez charnue et du nez busqué aux narines ouvertes, mais plus proche de quelque paysan viveur auvergnat, ou d'un négociant turc, que du prédicateur inspiré, visionnaire et dément. J'accepterais mieux, à l'extrême limite, par exemple sur ce cliché souvent reproduit dans les journaux, réalisé devant la mer à Long Island aux environs de Noël, où, stoïque et transi de froid, je pose pour une agence emmitouflé dans ma pelisse à grand col,

17

une certaine ressemblance avec Omar Sharif dans le *Docteur Jivago.*

Je me rappelle aussi que, pour se moquer des lettres de refus qu'il devait recevoir, où des cinéastes lui parlaient de son « emploi », un jeune et joli comédien m'avait envoyé (renvoyé, prétendait-il) un instantané agrandi qu'il venait de prendre en Tunisie pendant le tournage de *L'Eden,* sur lequel mon faciès de fellagha à la retraite se trouvait encore aggravé par des incisives manquantes ou ébréchées, à la machoire supérieure, cassées le mois précédant lors du sanglant épisode slovaque. A cette photographie, il joignait une fin de non-recevoir concernant un engagement que j'étais censé avoir sollicité dans une distribution en cours : le réalisateur, me disait la lettre, « imaginait le personnage d'Hamlet plus juvénile, plus blond, moins oriental et, pour tout dire, plus aryen ». Une autre fois, on m'a sérieusement offert un rôle de clochard raisonneur, affalé près de son litron sur un banc de métro.

Un « prédicateur inspiré, visionnaire et dément », ainsi justement Henri de Corinthe était-il apparu au reporter britannique qui l'avait interviewé à Vienne, peu de temps après l'Anschluss. Ce sont là les termes exacts — à la traduction près — dont se sert le journaliste dans son article du *Manchester Guardian,* qui demeure pour nous tous une des références les plus sûres se rapportant à cette période particulièrement trouble de son existence. Il y compare d'ailleurs Corinthe au révérend Hightower attendant à sa fenêtre, dans le crépuscule qui tombe, le moment précis où la charge des cavaliers fantômes va déferler sur la grand-rue de Jefferson, pour aller mettre le feu aux magasins du général Grant.

Tous les gens qui l'ont approché, au cours de ces années dont on ne savait pas encore qu'elles conduisaient inéluctablement à la guerre, en dépit des actes ou opinions contradictoires qu'ils lui attribuent, s'accordent en tout cas sur une sorte d'immobile folie du personnage, « explosion fixe » comme prémonitoire de la catastrophe en suspens, c'est-à-dire, en employant des mots plus simples, cette tension dramatique du visage et de tout le corps, annonçant au fond de ses yeux (à la couleur indéfinissable mais si enfoncés dans leurs orbites qu'ils en paraissaient noirs), sur les traits raidis de sa physionomie autrefois changeante, dans ses larges épaules inclinées vers l'avant, et jusque dans ses mains nerveuses qui étreignaient les bras du fauteuil, l'imminence d'un « maintenant » immortalisé par l'Histoire et comme pétrifié depuis la nuit des temps, qui l'aurait ainsi apparenté au héros anachronique de l'épopée faulknérienne.

Parmi les diatribes forcenées qu'il vous assenait alors d'une voix trop impassible, très basse (« sombre », écrivent à plusieurs reprises les témoins directs), à la fois véhémente et comme détachée, presque mécanique, neutre pour ainsi dire à force de se croire elle-même engendrée par la sereine objectivité des profondeurs, celle du sage ou celle du surhomme, ses visiteurs abasourdis ont souvent retenu et cité l'éclairage peu orthodoxe qu'il apportait au rôle des Niebelungen dans la *Tétralogie,* interprétation d'autant plus surprenante qu'on lui croyait de fortes sympathies pour le régime national-socialiste. Je vais essayer d'en résumer ici les grandes lignes, sans m'embarrasser des développements brumeux et prophétiques dont il surchargeait son histoire.

Le premier attentat contre la Nature a donc été commis jadis par la race des dieux : Wotan arrachant une branche au frêne du monde, pour s'en façonner une lance. L'arbre meurt lentement de sa blessure. Mais le crime du Dieu des dieux reste malgré tout marqué d'une nette valeur positive, car la lance constitue l'attribut viril par excellence, qui doit garantir désormais l'Ordre et la Loi. Cependant la lignée divine s'est ainsi condamnée elle-même au doute, à l'affaiblissement, à la mort prochaine : aucune loi naturelle ne peut survivre, si la nature dépérit. La race des géants veut alors profiter de l'abattement des dieux, devenus querelleurs, hésitants, parjures, pour s'emparer du pouvoir suprême et régner sur le monde à leur place ; dinosaures imbéciles, les géants ne voient pas qu'ils existent seulement en tant que force de la nature et qu'ils seront donc, à leur tour, incapables de prospérer sans elle. Dernier sursaut cancéreux de la forêt malade, leur monstruosité quasi végétale se révèle déjà comme signe du déclin.

Pour les achever, Wotan suscite la race des héros, qui, enfantés par l'adultère et le mensonge, doivent se dresser contre la loi et se libérer bientôt, du moins en théorie, à la fois de la nature et des dieux. Son erreur est de ne pas comprendre que leur absolue pureté génétique (à l'adultère originel succède l'inceste généralisé : Siegfried, deux fois petit-fils de Wotan, par son père et par sa mère qui sont en effet frère et sœur, épouse une Walkyrie dont il est en somme le neveu, puisque Brunehilde est la fille — adultérine également — de ce double grand-père dont il devient ainsi le gendre), ce que l'on pourrait nommer leur candeur homozygote, voue ces héros sans peur ni haine, ni méfiance, ni calcul, à n'être eux aussi que des idiots : dépourvus de mémoire comme d'inquiétude, écervelés, satisfaits et vantards.

Siegfried se montrera tout juste capable d'anéantir le dernier des géants, plongé d'ailleurs depuis longtemps dans un sommeil léthargique, puis de conquérir deux fois la toujours vierge Brunehilde sans même la reconnaître, avant de tomber bêtement sous les coups de Hagen le Niebelung, digne héritier de la voix profonde comme des passions créatrices (chimériques ?) de son père Alberich. Autant Wagner affiche un cruel mépris envers le gentil Siegfried, qu'il ne cesse d'accabler sous ses prévenances et ses sarcasmes, autant on le sent proche, ému, fraternel dès qu'il s'agit du traître Hagen. Il n'est guère difficile, dans *le Crépuscule,* de discerner auquel des deux va sa sympathie, sans même s'attarder sur le registre de ténor, toujours à la limite du ridicule, qui est dévolu au premier.

Contre la Nature, Alberich a commis le second attentat : il a, par ruse, dérobé l'or du Rhin, dont l'eau va aussitôt perdre son sublime éclat, et bientôt sa vigueur. Après la forêt, c'est le fleuve qui est touché à mort. Mais le crime du Niebelung se révèle infiniment plus grave que celui du Dieu, car, avec cet or, au lieu de forger quelque noble épée, il va fabriquer un anneau, symbole du manque, de l'ouverture et de la féminité. Ici Corinthe retrouvait probablement le souvenir tout proche des séminaires sur Hegel tenus à l'Ecole normale supérieure de la rue d'Ulm par Alexandre Kotjenikov, dit Kojève, à peu près dans ce même temps où les nazis consolidaient leur pouvoir en Allemagne.

Il est à peu près hors de doute qu'Henri de Corinthe a fréquenté assidûment ces cours merveilleux, devenus presque légendaires, cela pendant plusieurs années consécutives, et qu'il a partagé l'enthousiasme de condisciples qui se nommaient Georges Bataille, André Breton, Klossowski, Sartre, Aron, Lacan, sans parler du fidèle Raymond Queneau dont l'intelligence et la ferveur nous ont permis de conserver la trace écrite d'une lecture si révolutionnaire, réinventant semaine après semaine la *Phénoménologie de l'esprit,* qu'elle allait devenir la Bible de toute une génération d'intellectuels, de droite aussi bien que de gauche.

L'anneau d'or de Kojève, dont, si mes souvenirs sont exacts, le mythe sera repris moins d'une décennie plus tard par Jean-Paul Sartre dans *L'Etre et le néant,* représenterait une métaphore de l'esprit humain selon Hegel : c'est son vide central — une absence d'or — qui le constitue en tant qu'anneau, de même que le manque fondamental qui troue le centre de l'homme apparaît comme le lieu originel de son projet d'existence, c'est-à-dire de sa liberté. Seul en définitive un noyau de néant détermine son épaisseur concrète, et c'est l'absence d'être en son sein qui le projette hors de soi comme être-dans-le-monde, comme conscience du monde, comme conscience de soi, comme devenir.

Siegfried ne serait, lui, qu'un « héros positif » avant la lettre, manipulable et manipulé, soumis à l'ordre des choses ; baudruche close sur elle-même, gonflée des valeurs reconnues déposées par le dieu, il est condamné à reproduire le Bien, donc la loi. Son entente heureuse avec la nature dénonçait déjà cet asservissement. Hagen, fils d'Alberich, porte au contraire en lui la négativité active qui le dresse face aux bien-pensants, face à la nature et face aux dieux. C'est lui, il le sait, qui doit engendrer la race des hommes libres.

Dans les brumes nocturnes où le Rhin terni coule encore, il attend son heure, immobile. « Dors-tu, Hagen, mon fils ? » demande le vieil Alberich. Non, il ne dort pas. Il veille. Et il pense à l'anneau de sa liberté prochaine : volé par Wotan à Alberich, extorqué à Wotan par le dernier géant, conquis sur le géant par l'épée de Siegfried, donné par Siegfried à Brunehilde... Hagen, immobile au bord du Rhin, attend leur retour à tous les deux, pour crever la baudruche et reprendre l'anneau. Salut à toi, homme solitaire qui dit « non » à l'ordre des choses !

Ce n'est guère ici le lieu pour s'interroger sur l'ampleur des altérations qu'Henri de Corinthe faisait ainsi subir au texte de Wagner, à l'enseignement de Kojève, ou davantage encore à la pensée de Hegel, pour qui la nature, dialectique déjà, n'aurait sans doute jamais été positivité pure. Ce qui nous importe serait plutôt la façon dont un tel discours était reçu, à l'époque, dans l'entourage politique du comte Henri. Il est malheureusement trop tard, aujourd'hui, pour interroger de nouveau mon père à ce sujet. Mais qui d'autre en aurait conservé la mémoire ? J'ignore si Jean Piel a rencontré souvent — ou quelquefois, ou pratiquement jamais — Corinthe au séminaire de la rue d'Ulm. En fait, je ne suis même pas certain qu'il y soit allé autrement qu'à titre exceptionnel, pour accompagner quelque ami, par exemple un de ses futurs beaux-frères.

Si j'y pense à mon retour en France, je lui poserai la question. Il a en tout cas fort bien connu Kojève un peu plus tard, puisqu'ils occupaient l'un et l'autre, après la guerre, des hautes fonctions au ministère de l'Economie nationale, dans les provisoires et mystérieux bureaux du quai Branly. J'y ai moi-même rendu visite à Piel plusieurs fois, quand il secondait (se substituait à ... ?) Georges Bataille dans la direction de *Critique,* tout en régnant de l'autre œil sur l'aménagement du Languedoc-Roussillon, tandis que je m'acquittais pour ma part de tâches plus modestes dans les sous-sections du commissariat général au Plan, rue de Martignac.

Mais non ! Ça n'est pas possible. Voilà que je confonds les dates. J'ai participé en effet à diverses commissions préparatoires du plan Monnet, dans le domaine évidemment de la production vivrière agricole, mais c'était lorsque je travaillais comme chargé de mission à l'Institut de conjoncture, et que je pouvais encore passer pour un vrai ingénieur. Or, quand j'ai connu Piel et Bataille, j'avais déjà écrit deux romans, le premier resté inédit, le deuxième en cours d'impression. C'est donc au moins quatre ans plus tard... Il y a quelque chose de troublant dans les souvenirs : ils constituent un tissu mouvant dont les fils innombrables se déplacent sans cesse pour se nouer, puis se dénouer, disparaître, resurgir et se renouer ensuite ailleurs, de mille et mille manières presque identiques ou soudain tout à fait neuves, combinaisons imprévues ou ressassantes, et former ainsi à chaque instant de nouvelles figures plus ou moins semblables, plus ou moins différentes, dont le nombre doit être pratiquement infini.

Je suis en train de m'égarer. C'est de Corinthe qu'il devrait s'agir (non de moi) et, en premier lieu, de ce que nous pouvons encore rassembler aujourd'hui comme témoignages concernant l'impact ou le développement de ses singulières idées, avant, pendant et après la guerre. Si le manuscrit du grand livre qu'il rédigeait n'avait pas été détruit, dont nous supposons seulement qu'il contenait un mélange — mouvant lui aussi — d'autobiographie et de théorie « révolutionnaire », auquel s'ajoutait (du moins je le soupçonne) une part indéterminée de politique-fiction, pour ne pas dire de roman, nous en saurions certes davantage sur ce sujet comme sur beaucoup d'autres.

Pourquoi mon père refusait-il obstinément de répondre à mes interrogations, directes ou détournées, se rapportant aux projets aventureux de son illustre ami ? Il prétextait mon trop jeune âge, ce qui a vite cessé d'être une raison convaincante. Etait-ce alors par une sorte de pudeur, qui préférait laisser dans l'ombre des spéculations que, malgré sa sympathie personnelle, son admiration même, il jugeait cependant par trop déraisonnables ? Je me souviens de ce soir d'octobre où, après le départ du comte Henri, debout face au foyer seigneurial de la vaste pièce du rez-de-chaussée que nous appelions sans motif apparent, mais avec une tendre auto-ironie, « la salle d'armes », mon père avait considéré pendant près d'une heure en silence la souche de chêne monumentale (il fallait parfois trois hommes pour porter jusqu'à l'âtre ces restes impossibles à débiter des vieux arbres déracinés par la tempête) qui brûlait toute seule depuis la fin du jour sur un épais lit de braises. Ses formes tourmentées, ses failles, ses cavernes, ses sinuosités dont les excroissances et volutes paraissaient se tordre dans l'éclat changeant des flammes, comme les replis de quelque géant des forêts métamorphosé en dragon, avec des crachements de feu, des embrasements soudains, des explosions, des gerbes d'étincelles, tout cela composait un spectacle éblouissant et dramatique que mon père avait, dans un murmure, comparé à l'incendie du Walhalla après la mort de Siegfried. A cet instant, j'ai posé, une fois de plus, la question du « socialisme libertaire » tel que le concevaient Corinthe et ses amis, dont beaucoup se proclamaient avec insistance germanophiles, celtes et païens.

Mon père, sans répondre, s'est alors mis à marcher de long en large à travers la salle d'armes, s'écartant à grands pas, puis se rapprochant, après un détour, du brasier qui constitue l'unique source lumineuse éclairant la pièce, depuis que la nuit est devenue tout à fait noire. Le bruit de ses bottes sur les dalles de granit polies par dix générations de besognes et d'inquiétudes, creusées par endroit de dépressions rougeâtres — cuvettes ou rigoles — aux emplacements où la pierre était plus fragile, le choc sourd de ses bottes résonne de façon nette et cadencée par-dessus le sifflement des tisons, s'atténue quand la silhouette sombre s'éloigne de mon oreille, du côté des hautes fenêtres sans rideaux ou vers le grand escalier, s'arrête un instant pour changer de direction, repart, puis, de crochets en replis, se dirige soudain à nouveau vers ma banquette, décidé, autoritaire, raffermi, comme si mon attente allait enfin être comblée.

Mais, arrivé à ma hauteur, je sens le regard qui se pose à peine une seconde sur moi, aussi absent que si j'étais un meuble familier, ou un simple défaut du dallage, se fixe ensuite un peu plus longuement sur les flammes jaunes et bleues qui jaillissent en fusant d'une anfractuosité nouvellement apparue dans la souche, puis se détourne brusquement sans que mon père, qui s'éloigne derechef, ait prononcé une parole. Les lueurs dansantes, qui reprennent par instant plus vives en quelques points de l'âtre, multiplient son ombre démesurée sur les murs, tantôt pâlie, tantôt plus noire, se divisant, se rassemblant, sautant d'une paroi vers l'autre, agitée comme un fantôme impalpable dont la bourrasque tordrait le suaire. Alors que je n'espère plus rien, j'entends tout à coup sa voix basse et lointaine qui prononce cette phrase, comme pour lui seul : « Ce ne sont pas des idées raisonnables... »

Et c'est presque la même modulation que s'il avait dit dans son rêve : « Schläfst-du, Hagen, mein Sohn ? ». Pourtant les mots étaient bien audibles, quoique trop espacés, articulés comme à regret l'un après l'autre, en proie au doute, ou bien luttant contre quelque difficulté d'élocution quasi insurmontable, ou encore comme s'il déchiffrait avec peine des caractères anciens sur un parchemin dont le sens s'est perdu. Ensuite, il a repris ses déambulations d'arpenteur déréglé. Dehors, la pluie s'était remise à tomber, sans violence. On entendait son doux ruissellement dans les chéneaux. Le comte Henri, sur son cheval blanc, devait être loin déjà. Je suis monté jusqu'à ma chambre, mais j'ai mis très longtemps à trouver le sommeil, me tournant et me retournant, pour me réveiller ensuite à plusieurs reprises dans la nuit, ayant tout à fait perdu le sentiment de l'heure, comme aussi de la durée. Il pleuvait toujours, le vent qui s'était levé projetait des gouttelettes, par rafales, contre les carreaux. Tout en bas de la vieille demeure, les pas de mon père poursuivaient leur inutile route, mais plus lourds, plus lents, plus sourds, comme des chocs répétés au cœur même du roc. On aurait dit la pioche d'un mineur obstiné, taupe géante creusant une galerie sous la maison, dans le granit. Je crois que mon père a marché jusqu'à l'aube, cette nuit-là, dans la salle d'armes gagnée par les ténèbres, où le feu en effet, qu'il négligeait d'entretenir, n'a plus été bientôt qu'un amas informe de cendre et de charbons ternis.

Comme tout cela est loin! Quand je parle de mon enfance, j'ai toujours l'angoissante sensation de raconter l'existence problématique et contestée qu'aurait vécue je ne sais quand, je ne sais où, quelqu'un d'autre dont le nom ressemblerait au mien, et peut-être aussi la figure, mais qui ne serait pas moi. J'habite à nouveau New York, ai-je dit (l'ai-je dit?), depuis une dizaine de pages, environ, de ce texte. Nous sommes en novembre. Dehors, il neige. Ce sont les premiers flocons de l'hiver.

Hier soir, dans son bureau très encombré de papiers et de livres qui fait l'angle de la huitième rue, au sixième étage, d'où le regard se porte tout naturellement à travers les nombreuses baies jusqu'aux buildings monumentaux dont le sommet s'illumine de couleurs criardes, vers le haut de la ville, mon ami Thomas Bishop, dit Tom, le chef du département de français qui est responsable de ma tardive vocation universitaire, m'a montré une photographie déjà ancienne, épinglée au milieu des nombreux souvenirs de ses rencontres littéraires ou politiques qui couvrent tout un pan de mur entre deux perspectives de gratte-ciel bariolés, sur laquelle j'ai encore le visage sans barbe dont je viens d'évoquer, un peu plus haut, le manque de consistance. Avais-je adopté inconsciemment cette forme molle aux contours indécis afin d'afficher la dépersonnalisation qui convenait alors — selon le on-dit parisien — au romancier moderne absent de lui-même comme de ses livres?

Pourtant, Tom m'a souvent répété, en riant, que jamais il ne m'aurait engagé comme professeur avec cette tête-là.

Enseigner ses propres romans et films, cela fait sans aucun doute partie de ce qu'on nomme ici les *performing arts,* les arts de la scène, de la représentation vivante. Non seulement l'auteur doit alors assumer pleinement ses œuvres — ce qui est déjà monstrueux — avec à peine la distance critique admise pour des images ou textes qu'il a produits il y a vingt ans et plus (distance infime, en somme comparable à celle marquée par un bon acteur de théâtre face au drame qu'il interprète), mais encore lui faut-il exhiber aux yeux de tous le physique reconnu de l'emploi, c'est-à-dire une forte présence stéréotypée : une véritable tête d'écrivain.

Le même déconcertant problème se pose aujourd'hui, du reste, pour n'importe quel romancier, essayiste ou philosophe. Toute son œuvre écrite se verra bientôt située dans cette double perspective mondaine, dérisoire : avoir une tête, saisissable par l'objectif, et savoir parler devant un micro. Il y a quelque chose d'irritant pour un homme de plume, de ratures et de solitude, à se voir sans cesse, désormais, placé sous les feux de la rampe, réduit à son image sur la couverture du livre (ou sur une bande) et à son bavardage dans les journaux, à la radio, sur les écrans de télévision. Il a envie de crier aux lecteurs-en-diagonale, à tous les auditeurs-spectateurs distraits : c'est par mes écrits que je m'adresse à vous, évitez donc de vous intéresser trop exclusivement à ma barbe, à mes mimiques, à mes boutades. Quittez le sot espoir de me découvrir plus sincère, plus intéressant, plus personnel, plus vrai dans ces intervious hâtifs (encore plus truqués s'ils sont reproduits dans la presse, puisqu'ils y ont perdu par surcroît l'ouverture et la légèreté de la parole) que dans des pages longuement, patiemment, laborieusement forgées. L'auteur, c'est l'être qui n'a pas de visage, dont la voix ne peut passer que par l'écriture et qui « ne trouve pas ses mots ».

Roland Barthes, qui a souffert beaucoup plus que moi de cette situation d'animal bavard exposé en vitrine, réservée aux écrivains dans notre société, m'a fait remarquer peu d'années avant sa mort que j'avais encore de la chance en cette conjoncture : « Toi, du moins, tu entretiens des relations heureuses avec ton imago, et c'est peut-être entre nous deux la principale différence. » C'était sans doute assez juste, et cela m'a évidemment facilité les choses quand j'ai accepté, avec même une sorte d'enthousiasme messianique, la proposition de Tom Bishop : venir répandre la bonne parole de façon régulière parmi les élèves « gradués » et les jeunes professeurs de ce continent. Barthes, en classe, se sentait terriblement menacé, disait-il, ne supportant pas, entre autres épreuves, les salles trop pleines où des étudiants se trouvaient par la force des choses placés sur les côtés, presque derrière son dos, et pouvaient ainsi non seulement le regarder, mais l'observer de biais tout à leur aise, sans être vus par lui.

Tom, c'était aussi le surnom affectueux que maman donnait à notre père, qui ne s'appelait pas Thomas, mais Gaston. Je crois me souvenir que le mot représentait à l'origine une abréviation de « c't'homme », c'est-à-dire : cet homme-là. Dans le dialecte familial, le terme devait rapidement passer à l'état de substantif générique ; un tom désignait une espèce particulière de mari : solide, d'aspect rugueux, même un peu rustre, difficile à manœuvrer, mais sur qui l'on pouvait compter en toutes circonstances avec une totale certitude. Tom Bishop, nettement plus policé que le modèle, possède en tout cas cette qualité qu'à l'instar de ma mère j'apprécie par-dessus tout, pour un papa comme pour un ami : j'aime lui faire une confiance absolue, dans les petites choses comme dans les grandes. Quand je débarque à l'aéroport Kennedy et qu'il s'est dérangé une fois de plus pour m'accueillir, en dépit des encombrements sur les autoroutes de Long Island, je pourrais en parfaite quiétude, dès que je l'aperçois, redevenir un tout petit enfant, irresponsable, ignorant et candide. Je ne parle pas l'anglais, je ne sais pas conduire, je n'ai pas un dollar en poche, cela n'a aucune importance : Tom est là, et il va se charger de tout. J'arrive vers lui comme sans bagage, avec seulement une poupée de chiffon entre les bras.

C'est cette même poupée de chiffon, soumise et molle à souhait, que je serre contre ma poitrine en remontant, tout seul, le grand escalier de la Maison Noire. Quel âge puis-je avoir ? Cinq ou six ans, j'imagine. Je voulais voir Monsieur de Corinthe par la porte mal fermée de la salle du bas, dont les trop vastes dimensions et les zones de ténèbres, même en temps normal, déjà me faisaient peur. J'ai aperçu seulement la monstrueuse souche de chêne qui brûlait dans l'âtre. Et j'ai entendu des phrases lourdes et sonores, mesurées dans leur débit malgré ce qui me paraissait être la violence des propos, leur véhémence en tout cas qui résonnait par instant comme le tonnerre, grondements majestueux et privés de sens où je ne parvenais pas bien à distinguer la voix paternelle de celle du comte Henri, tant elles se ressemblaient dans ces moments-là, comme si les intonations ordinaires du géant familier qui me prenait chaque soir dans ses mains, pour m'élever jusqu'à sa grosse moustache piquante, avaient soudain disparu.

J'entretenais la vague idée — me semble-t-il aujourd'hui — que le voyageur nocturne devait avoir exactement la même stature, la même moustache, le même visage que mon père. Malgré l'interdiction rigoureuse qu'on me répétait à chacune de ses visites — ou plutôt, peut-être, à cause d'elle — il me fallait absolument vérifier cette hypothèse fondamentale. J'ai donc essayé de me glisser sans bruit derrière le lourd battant à peine entrebâillé. Mais je n'ai pas réussi à franchir la passe, en dépit de ma minceur, ou bien je n'ai pas osé. Ou bien encore le bras paternel était-il intervenu pour m'interdire l'accès du sanctuaire ? Je ne me rappelle plus. N'insistons pas sur la chausse-trape freudienne que dissimule cet oubli.

Toujours est-il que je gravis à présent, marche après marche, l'escalier obscur qui monte vers les chambres endormies. Les degrés sont trop hauts pour ma petite taille, aussi je m'agrippe d'une main aux barreaux en fer de la rampe, tandis que je tiens ma poupée contre moi de mon autre main aux cinq doigts écartés. Vers le milieu de l'ascension, je m'assois sur une marche, prétextant pour ma justification intime la nécessité de me reposer un instant, mais l'oreille tendue vers la porte cette fois close de la grande pièce d'où je n'entends plus venir, désormais, que le martèlement sourd des bottes de mon père qui semble arpenter le sol dallé de long en large, avec de fréquentes interruptions et brisures, bientôt suivies de parcours plus calmes dont l'étendue même étonne, comme si les dimensions de la salle d'armes s'étaient encore accrues, au sein de la pénombre.

Semblable au va-et-vient de quelque lourd balancier d'une horloge colossale, mais située en arrière-plan, il y a un effet de bercement dans le rythme apaisé de cette pesante percussion mate, d'origine maintenant plus douteuse, dont on croirait que la distance augmente, peu à peu, et qui remplacerait ainsi dans son éloignement progressif le bruit absent du cheval blanc aux sabots légers, à la crinière blonde flottant au vent, qui emporte là-bas le comte Henri, à travers bois, landes et grèves. Dans un geste lent, presque ensommeillé, je ramène la poupée de chiffon au creux de mon ventre, en lui tenant les bras derrière le dos pour bien appliquer tout son corps tendre contre le mien, et aussi son visage, dont je peux sentir la bouche charnue entrouverte à travers ma chemise de nuit en tissu soyeux. Sensible d'instinct à mes plaisirs, elle se débat juste un petit peu, faiblement, comme afin de m'exciter davantage par sa révolte feinte et bientôt vaincue, pour se laisser faire ensuite avec gentillesse, déjà somnolente, amollie, onduleuse, algue abandonnée au balancement de l'eau...

Puis, à mon tour, je m'endors.

Et de nouveau la figure d'Henri de Corinthe apparaît, derrière une vitre, au premier étage. On dirait qu'il guette quelque chose, probablement l'arrivée de quelqu'un. Pourtant son regard, anxieux et fixe, n'est pas dirigé vers l'allée d'honneur, entre le quadruple alignement des hêtres, mais vers le ciel aux nuages changeants. Qu'espère-t-il apercevoir ainsi parmi les branches dénudées, à la cime des arbres ? Il attend. Il veille. Il monte la garde au bord du Rhin dont les eaux glauques, gagnées par la brume, coulent à ses pieds, roulent dans sa tête. Le reflet plus brillant d'une éclaircie, au sein des nuées rapides dont le tissu tout à coup se disloque, fait alors disparaître son visage, aussi soudainement qu'il avait surgi.

Corinthe se retourne vers la chambre. Il aperçoit derechef son image incongrue dans la glace rectangulaire de l'armoire, dont la porte décidément ne tient pas fermée : elle tourne d'elle-même sur ses ferrures pour s'immobiliser dans une position entrouverte, si bien que le miroir se trouve orienté vers la fenêtre, au lieu de refléter normalement, pour celui qui s'y tient, le portrait à l'huile accroché au mur sur le papier peint terni par le temps, feuillages et fleurs entrelacés dont le dessin s'estompe, de l'autre côté du bureau encombré de dossiers et de paperasses.

Cette partie du décor, vers le fond de la pièce, est d'ailleurs si peu éclairée, quelle que soit la lumière extérieure, l'heure du jour, la saison, que le grand tableau de famille et le personnage en pied qu'il représente, au premier plan de ce qui pourrait être un champ de bataille vers le milieu du siècle dernier, restent de toute façon à peine discernables. Le cadre d'ébène (ou bien en palissandre très foncé) ainsi que les teintes trop sombres de la peinture, sans doute encore accentuées par son vieillissement, complètent l'effet de noirceur causé par cet emplacement défavorable.

Ayant franchi les quelques pas qui le séparaient de la grosse armoire, sculptée dans un acajou à peine plus clair, Corinthe en repousse le battant avec une certaine brusquerie, produisant une fois de plus l'effroyable grincement dont il connaît les moindres modulations depuis toujours, mais auquel il ne parvient pas à s'habituer. Puis il fait nerveusement volte-face. Il a cependant eu le temps d'entrevoir, sur une étagère intérieure à hauteur d'œil, la chaussure féminine à haut talon dont l'empeigne est entièrement garnie de paillettes métallisées, qui brillent dans la pénombre d'un éclat improbable, bleu irisé, bleu de nuit, bleu des mers du Sud... Des souliers de bal. Henri de Corinthe ne sait plus pourquoi il a conservé ce souvenir. Ce souvenir de quoi ? Il se rassoit devant son bureau et se remet à écrire, poursuivant le paragraphe interrompu :

Nous devons donc accepter cette évidence : le projet socialiste, dans toutes ses formes actuelles en tout cas, est aussi incompatible avec les motivations profondes de l'artiste véritable que n'importe quelle autre idéologie communautaire, généreuse ou répressive, d'inspiration syndicale, patriarcale, nationaliste, religieuse ou fascisante. L'artiste en effet, au sein même du travail créateur qui le constitue comme tel, prend sans cesse conscience de son moi propre (singulier, monstrueux, solitaire) comme constituant l'unique origine possible du sens, c'est-à-dire non seulement comme une incomparable source créatrice de sens, mais à la limite comme unique source pensante. Quelle que soit donc sa bonne volonté, sincère ou de convenance, envers un idéal politique dont il juge légitime d'adopter les mots d'ordre (le plus souvent par concession plus ou moins avouée, plus ou moins souriante, plus ou moins lasse, aux goûts du siècle), il continuera toujours cependant à se ressentir comme étant lui-même l'esprit du monde, et par conséquent le véritable esprit des siècles. Seul dieu de cet univers qu'il a créé de ses seules mains, il ne saurait accepter de n'être plus qu'une parcelle anonyme d'un dieu collectif, dont il exercerait provisoirement certains pouvoirs, par délégation. Même si, dans une sorte de conformisme moral prolongeant le vieux mythe humaniste qui reconnaît une utilité sociale aux artistes, et en particulier aux écrivains, il crédite à bon compte sa propre œuvre d'une fonction salvatrice (ouvrir une voie nouvelle pour quelque homme futur), la conviction intuitive de son génie lui révèle avec éclat qu'il est en fait le dernier homme. Son œuvre est la dernière œuvre, celle qui met un point final à l'histoire des œuvres, c'est-à-dire à l'histoire du monde. Et c'est ainsi que je suis moi-même, ici, en train d'écrire le dernier livre.

Corinthe a redressé sa plume et levé le visage, soudain rêveur, vers les ramures sombres des grands hêtres qui bercent au vent leurs feuilles absentes. Dans un geste machinal de sa main droite, il a fait glisser le corps lisse du stylographe familier entre le médius et l'index, qui s'est aussitôt replié au creux du pouce pour y enserrer le fuseau de galalithe noire, bagué d'or. On dirait qu'il poursuit à présent une tout autre chimère, au loin là-bas pensif et déhanché sur sa selle, chevauchant peut-être à travers la lande obscurcie à la tête de ses dragons épuisés par une trop longue marche, vers la fin du jour, les sabots des quarante montures fourbues butant contre les pierres éparses parmi la bruyère, déjà moins visibles dans l'ombre qui descend, ou bien seul à nouveau, maintenant, au cœur de la nuit, cavalier perdu en rase campagne, sur une longue route rectiligne et plate, bordée çà et là de jeunes peupliers mutilés par les récents combats, dont les branches brisées se détachent à peine, par instant, sur le ciel d'encre.

Mais il rabaisse ensuite les yeux vers sa table de travail et contemple la feuille manuscrite, devant lui, dont le tiers supérieur est noirci par une quinzaine de lignes d'une écriture fine et régulière. Au milieu de la dernière phrase, après le mot « ici », il inscrit dans l'interligne « à mon tour », relit cette nouvelle version du texte en remuant silencieusement les lèvres, réfléchit encore une minute et raye enfin, avec lenteur, les trois mots qu'il vient de rajouter. Puis la plume en or rouge de l'antique stylographe au mécanisme depuis long-temps détraqué, dont il faut périodiquement tremper la pointe dans un petit encrier portatif, reprend sur la page sa course appliquée :

Se connaître soi-même comme le plus grand, voire le seul grand et en tout cas l'ultime, voilà sa raison d'être, le tranchant de son épée, sa démesure. Mais il ne peut se contenter, pour imposer aux siècles une telle recon-naissance, de mettre en œuvre mieux que ses pairs les codes acceptés par la loi commune, codes de pensée, codes d'écriture, tout au contraire il doit les transgresser. Car il ne suffit pas de sortir vainqueur d'une partie — même mortelle — dont quelqu'un d'autre aurait fixé les règles (un prince, une assemblée ou un dieu), le dernier écrivain se mesure d'abord au désir, à la néces-sité de devenir l'unique créateur de toute loi écrite, les tables sacrées, que je brandirai face au monde comme une (*ici un mot peu lisible sur le manuscrit, probable-ment :*) oriflamme, pour mieux la violer ensuite, dans le rire, dans la douleur, dans...

De nouveau, il s'est interrompu. Et, cette fois, la phrase elle-même demeure en suspens, la tirade inache-vée.

La faille se prolonge ainsi pendant onze mois, ou peu s'en faut. Je viens maintenant de reprendre mon récit, scrupuleux, problématique, à Saint-Louis dans le Missouri, où je dois passer l'automne et les premiers jours d'hiver. Devant les baies tout en largeur de mon sixième étage, à la place des hêtres plusieurs fois centenaires de la Maison Noire, il y a aussi de très grands arbres, à perte de vue, plus ou moins espacés sur l'herbe rase, régulièrement tondue, où les écureuils gris récoltent des glands avant les prochaines neiges. Dans la masse des frondaisons aux cimes arrondies qui commencent tout juste à se teinter de multiples nuances jaunes ou rousses, je distingue au moins deux espèces de chêne bien différentes, ne ressemblant guère au rouvre de chez nous : l'une à larges feuilles coriaces (j'ignore son nom) qui présentent de profondes échancrures entre les lobes, dessinant comme une ample sinusoïde très irrégulière, l'autre dont le limbe est si finement découpé en pointes aiguës, ou quelquefois bifides, que par endroit il se réduit presque aux nervures (il s'agit sans doute de cette variété de *quercus palustris* que les Américains appellent *pine oak*). Mais il y a aussi des trembles, divers pins à deux aiguilles (lesquels ?), des cyprès chauves et de nombreux liquidambars au feuillage en étoile, encore à peine bronzé, qui va bientôt prendre d'improbables colorations roses, orange, pourpre ou violine.

Henri de Corinthe est donc resté tout ce temps-là — près d'un an — la plume relevée, en attente d'on ne sait quelle apparition, de quel fantôme. Je le revoyais de temps à autre, immobile à sa table de travail, son visage impassible tourné vers les branches noires des hêtres, nettes et luisantes sous la petite pluie qui s'était remise à tomber, alors que le ciel plus clair leur conférait soudain une exceptionnelle présence, comme si, désormais toutes proches, elles se fussent avancées jusqu'aux carreaux maculés par les gouttelettes des hautes fenêtres à meneaux, tandis que j'arpentais moi-même les rizières en terrasses sinueuses de Java, des vignobles poussiéreux en Australie du Sud, les falaises aux araucarias géants de Nouvelle-Zélande, ou bien, dans les îles Sous-le-Vent, les sables brûlants à l'ombre des pandanus dont les racines aériennes forment des étais obliques, en bordure du lagon.

Un peu plus tard encore, c'était sur les plages désertes de Los Angeles, devant les imposantes lames du Pacifique, et puis à Grenade sous les jets d'eau, à Cologne en face du Rhin, à Graz au pied du Semmering, à Venise au riant Lido, où vient sur l'herbe d'un tombeau... Corinthe une fois de plus, toujours raide, mais déhanché en travers de sa selle, avançait lentement sur une route sans fin, dans la nuit...

Nathalie Sarraute me dit qu'elle ne pourrait jamais demeurer aussi longtemps sans écrire, tenaillée chaque jour par la mauvaise conscience de l'œuvre à faire. Je n'éprouve, quant à moi, rien de pareil et je n'ai pas le souvenir, non plus, de l'avoir éprouvé autrefois. Pour que je reprenne mon vieux stylographe (dont le système à pompe est depuis toujours hors d'usage) et le trempe à nouveau dans l'encre noire, face à la feuille blanche, j'ai besoin que d'obscures choses se soient formées avec assez de précision, dans ma tête, réclamant alors ma main et désirant avec une force têtue paraître à la lumière, dans le lent accouchement silencieux des ébauches, des expansions, des ratures et des reprises. Sinon, je n'écris pas, et n'en ai ni regret ni honte. Un jour, sans doute, ces images déraisonnables, ces bruits suspects, ces phrases mouvantes, ces visions cesseront de prendre forme. Je ne suis même pas certain d'en souffrir.

J'ai consacré aussi deux mois de cet été à la construction d'une nymphée, au Mesnil, dans l'angle nord du bassin est, où depuis vingt-cinq ans s'entassaient parmi les orties et le lierre des cailloux grossièrement maçonnés et déjà disjoints, disloqués même, non loin de trois segments épars d'un ancien pressoir à cidre en granit — chacun pesant près d'une tonne — abandonnés comme à mi-chemin dans un petit bois. Il y avait aussi une vieille canalisation en fer, souterraine, avec une arrivée d'eau naturelle. Cela ressemblait à un projet interrompu (par la guerre en effet, m'a confirmé ensuite la fermière voisine, qui fréquentait ces parages bien avant moi), dont j'ai rêvé pendant ces cinq lustres de rassembler les morceaux, les intentions à la dérive, dans une structure cohérente en même temps qu'accordée au charme du lieu.

A présent (et si bien intégrés qu'ils paraissent là depuis toujours), un escalier de pierres massives — mais aventureux — descend jusqu'au bassin, tandis qu'une statue mille neuf cent, mignonne et naïvement sensuelle, domine du haut de trois marches incurvées un dallage en schiste de forme ovale, que ferme sur l'autre bord une fontaine en arc de cercle, dont l'eau s'écoule par deux menues cascades sur la rocaille, puis parmi la menthe sauvage, l'iris faux-acore et le caltha des marais.

Et voilà que tout à coup, dans la sérénité universitaire reconquise, les paisibles plaines du *Middle West* et l'été indien, je renoue ensemble avec un plaisir retrouvé, toujours aussi vif, les fils épars de ma narration, abandonnés parmi les orties et le lierre. Et c'est, venant de très loin, une image de mon père qui s'impose d'abord à moi.

Cavalier solitaire, il s'avance le long d'une route plate et rectiligne, mal empierrée, assez étroite, bordée çà et là de jeunes peupliers mutilés par les récents combats, dont les branches sans feuillage, éclatées et pendantes, émergent soudain en gris plus sombre au milieu d'un épais brouillard, dans la clarté funèbre de la nuit.

Cela doit se situer au début de la guerre, vers la mi-novembre 1914, je ne sais pas exactement dans quelle partie du front. Sans doute est-ce l'époque où la lune est pleine, mais son disque blanc n'apparaît nulle part — même voilé — dans le ciel uniformément bas et cotonneux. Des pans de brume en maints endroits traversent le chemin, noyant ses bas-côtés, effaçant tout à fait la base blessée des troncs, ou bien s'accrochant aux branchages tordus, aux moignons, aux fourches fracassées, comme des voiles en lambeaux, si denses même par moment que le cavalier ne distingue plus les oreilles de sa monture.

Mais voilà que, l'instant d'après, dans une trouée mouvante au travers des nuées qui se traînent, et qu'un souffle d'air à nouveau disloque, il aperçoit maintenant un vieil homme marchant à son côté, sur sa gauche, au milieu de la chaussée en terre où la boue à demi-sèche stagne au creux d'innombrables nids de poule, entre des saillies pierreuses. Cependant le vieillard ne semble guère gêné par ses sabots de bois, malgré cette surface inégale, vers laquelle il n'abaisse jamais les yeux. Long et maigre, le dos très droit, il va d'une bonne foulée régulière, à la même allure que la jument noire, en dépit d'une sorte de vacillement qui, de temps à autre, parcourt tout son corps raide comme s'il était près de s'écrouler. Mais il continue de regarder droit devant soi, sans marquer le pas ni ralentir. Il porte sur l'épaule gauche, avec dignité, une grande faux de moissonneur.

Le cavalier, pris d'une soudaine fatigue (explicable d'ailleurs par la longue route qu'il vient de parcourir), se demande comment il a pu ne pas remarquer plus tôt une si insolite présence, à trois mètres de lui.

« Salut, l'homme ! » dit-il, sur un ton qui se voudrait gai, insouciant.

Aussitôt le bruit de sa propre voix lui paraît sonner faux dans ce décor lugubre. L'interpellé, du reste, ne répond pas, ne fait aucun signe à son adresse, si bien que mon père se prend à douter, au bout d'une minute où le silence s'est appesanti, indéchiffrable et béant, d'avoir lui-même prononcé quelque parole que ce fût.

Le paysan est vêtu d'une stricte vareuse boutonnée jusqu'au col et d'un pantalon étriqué, coupés l'un comme l'autre dans un tissu très sombre quoique légèrement brillant, qui ressemble à de la toile noire imperméabilisée à l'huile de lin. Sa tête est couverte d'un chapeau rond à larges bords, en feutre rigide, comme on en voyait souvent alors dans le centre de la Bretagne ; la partie antérieure, rabattue sur le front, masque tout à fait les yeux ainsi que le haut du visage, dont on devine néanmoins, dans l'obscurité, les os décharnés comme ceux d'une momie. Mais ce sont surtout ses mains, sèches, parcheminées, qui trahissent son grand âge, la gauche en particulier dont les doigts déformés enserrent le long manche deux fois recourbé de la faux, fait lui-même d'un bois noueux, rendu lisse et squelettique par plusieurs siècles d'usage.

On dirait que les grincements de l'essieu mal graissé d'une charrette se mêlent à présent au roulement sourd et lointain de la canonnade.

Une voix lente, grave, très lasse, se fait entendre enfin, donnant la troublante impression qu'elle émane du brouillard même, flottante et diffuse comme lui. C'est pourtant le vieillard qui parle, sans aucun doute, bien que rien ne se soit modifié de toute sa personne, ni dans son attitude à la fois chancelante et pétrifiée, ni dans le rythme de ses pas, ni dans la direction toujours fixe de son regard.

« C'est moi qui te salue, dit-il, beau soldat ! »

La formule cérémonieuse, archaïque, peu habituelle en tout cas, est rendue plus remarquable encore par une pause trop marquée entre le verbe et l'interjection flatteuse (ou ironique, ou méprisante, ou bien craintive) qui le suit à distance, comme dans l'intention de laisser tout son poids (mais lequel ?) à cette appellation depuis longtemps passée de mode. Afin de secouer la gêne qui l'envahit, mon père demande :

« C'est votre charrette, peut-être, dont on entend les grincements là-bas, devant nous ? » Et sa propre phrase le surprend, au moment même où il la prononce, par son tour guindé, sa prosodie pompeuse, son manque de naturel.

Cette fois, une sorte de rire sec, dérangé, presque méchant, agite le vieil homme, menaçant son fragile équilibre au point de laisser craindre qu'il ne s'effondre de tout son long sur le sol. Mais il se rétablit bientôt, comme par miracle, et retrouve en un instant son allure immuable et sa raideur.

« Pour sûr, beau soldat, dit-il, c'est ma charrette ! »

La brume est maintenant redevenue si épaisse que

43

l'attelage cahotant pourrait, invisible, ne plus se trouver qu'à cinq ou six mètres, ce que d'ailleurs semble confirmer le bruit tout proche des essieux agressifs, auquel s'ajoute celui de jantes métalliques qui sautent et crissent sur la pierraille du chemin. A la gauche du cavalier mal à son aise, le paysan lui-même commence à s'estomper, silhouette altière, vaporeuse, qui va d'une minute à l'autre se dissoudre dans la nuit, aussi soudainement qu'elle était apparue.

« Ce n'est guère le temps des foins, ni de la moisson, dit mon père après un assez long silence.

— J'ai coupé de l'ajonc pour les litières, répond la voix fantôme, et ma voiture en était à la fin si pleine que je n'ai pas pu y remonter. A présent, je marche comme un mort, tant je tombe de fatigue.

— Ce n'est pas avec une faux, l'homme, que l'on coupe des ajoncs !

— Quand on se sert d'une bonne lame », commence le vieillard...

Sa sentence est brutalement interrompue par le même ricanement acerbe, ou de démence sénile. Sous-officier de liaison en mission spéciale, mon père commence à s'inquiéter pour de bon : l'étrangeté du personnage et son comportement pittoresque pourraient masquer quelque affaire beaucoup plus grave. La crainte obsessionnelle des espions ennemis déguisés fait rage, sur le front comme à l'arrière, en ces mois difficiles de notre histoire. Et l'on doit reconnaître que l'activité nocturne de l'inconnu ne peut qu'éveiller les soupçons : il est plus de quatre heures du matin ; même si le vieil homme n'avait terminé sa récolte qu'à la nuit tombée, il faudrait que son voyage de retour vers la ferme hypothétique où dorment ses bêtes (des moutons ?) ait déjà duré quelque neuf ou dix heures. Pourquoi entreprendre une telle randonnée, interminable et dangereuse, pour une aussi médiocre cueillette, quasiment sur la ligne des combats ?

En outre, et quoi qu'il puisse prétendre, personne ne parviendrait à sectionner commodément des tiges si fortes, si ligneuses, avec un autre outil que la serpe, ou à la rigueur les cisailles. La présence d'ajoncs sur ces terres calcaires et plates, vouées aux céréales, à la luzerne, à la betterave, semble enfin plutôt problématique aux yeux d'un Breton du Finistère, fils de cultivateur.

Néanmoins pitoyable, c'est d'un ton encore plus exténué, presque inaudible, que le vieux paysan reprend la parole, spectre indécis qui a l'air de flotter dans l'atmosphère cotonneuse :

« Prends ma faux, beau maréchal, et porte-la pour moi sur ton épaule, ne serait-ce que pour me soulager pendant quelques pas. Tu es jeune, tu as un corps robuste, tu montes une solide jument. Tiens ! Par pitié pour le passant qui pourrait être le père de ton propre grand-père. Tiens ! »

Et en même temps, sans paraître redouter le tranchant de la fine lame recourbée, auquel il risque fort de se blesser par inadvertance, il brandit dans un ample tournoiement plein d'une fermeté nouvelle l'extrémité du long manche noueux en direction du cavalier, à deux doigts de sa poitrine.

Le geste a été si brusque, et d'apparence si menaçante, que celui-ci marque un instinctif mouvement de recul, sur sa selle, honteux aussitôt de la frayeur irrationnelle qu'il vient d'éprouver.

« Quel est donc ce bois, dit-il, qui ne ressemble ni au cornouiller ni au frêne ?

— Ni à rien d'autre, beau maréchal, répond l'inconnu, c'est un bois qui est venu d'ailleurs. »

Mon père songe aux billes précieuses rejetées à la côte par l'océan, dans son pays de tempêtes et de naufrages. Mais ce qu'il a eu le temps d'apercevoir, tout près de son visage, n'est pas non plus de l'acajou, ni de l'ébène. Ce serait au contraire une essence très pâle, qui ferait plutôt penser à du vieil ivoire poli. Tout à coup, il prend conscience d'une anomalie dans les dernières phrases qui demeurent présentes à son oreille, se rappelant avec une sorte d'effroi qu'aucun galon n'est cousu sur la lourde capote sombre qu'il a revêtue, pour cette mission particulière, de même que nul insigne de corps ou de régiment ne figure sur son col ou sur ses épaulettes. Et son casque, couleur de terre brune, est lui aussi totalement anonyme. Comment cet étranger a-t-il pu deviner sa promotion récente au rang de maréchal des logis (qui, dans la cavalerie, correspond à celui de sergent) ?

« Ainsi, vous croyez donc connaître mon grade, grand-père ? dit-il avec circonspection.

— Ton modeste grade n'est pas un secret d'Etat, je suppose, non plus que ton nom, Henri Robin ! T'imagines-tu que je ne sache pas qui tu es : Robin, Henri, né à Quimper le vingt-et-un novembre au petit matin, en l'an de grâce mille huit cent quatre-vingt-douze, Henri Robin qui a tout juste vingt-deux ans aujourd'hui et qui va mourir à la guerre, dans une mission inutile ? »

A la fin de cette tirade, prononcée d'une voix toute différente, profonde et scandée comme la sentence d'un tribunal, retentit pour la troisième fois le rire dément. Mais ce rire, comme les ultimes paroles qui l'ont précédé, ne provient plus que du brouillard, dont une vague massive achève en quelques instants d'engloutir le nocturne moissonneur.

Tandis que les ricanements de hyène se prolongent, mon père n'a pas le loisir de réfléchir bien longtemps à la condamnation qui vient ainsi de le frapper, car la faux jaillit alors devant lui, sur sa gauche, lancée à toute volée par un bras vigoureux, non pas la pointe en avant, mais verticale, la lame en haut. Il a heureusement le réflexe de saisir au vol dans sa main gauche le manche aux teintes d'ivoire, l'immobilisant d'un seul coup en bandant ses muscles et crispant les cinq doigts de toutes ses forces, vers le tiers de sa hauteur. Sans cette présence d'esprit, la lourde faux dans son élan aurait basculé sur l'encolure de la bête et le fer pouvait lui trancher la gorge, ou se planter dans son poitrail.

Très ému malgré tout par ce qu'il a évité de justesse, le cavalier ne songe pas à lâcher sa prise, en dépit du poids, considérable — et absolument anormal — de l'instrument, espérant peut-être en son for intérieur se défendre avec cette arme imprévue contre une nouvelle attaque. Et il continue d'avancer, bien droit, contracté, anxieux, tenant la faux en l'air comme une oriflamme.

« Et voici maintenant que je porte sa faux, comme il me l'avait demandé, se dit mon père au bout de quelques minutes. Ce que ma méfiance refusait aux appels du vieillard à ma compassion, sa ruse — ou le hasard — m'a cependant contraint à le faire. » Et il ne peut s'interdire, en dépit de toute sa raison, qu'il sent vaciller, de penser que son compagnon de route ressemblait beaucoup plus à une intervention surnaturelle, analogue à celles dont étaient peuplés les récits de son enfance, qu'à un subterfuge de l'ennemi.

D'ailleurs le vieil homme s'est véritablement évaporé. L'aube qui pointe et la brume qui s'élève dégagent à présent la route, devant, derrière, et de tous les côtés : il est clair que le faux paysan a disparu sans laisser la moindre trace, hormis sa faux, ainsi qu'aurait fait la fille de Wotan après avoir choisi le jeune héros qui va périr au combat, puis, lui confiant la lance sacrée pour cette ultime épreuve, l'avoir averti juste avant l'aurore de son illustre et tragique destin.

Mais, dix mètres plus loin environ, entre les peupliers qui agitent dans la brise leurs membrures fracassées, il y a la charrette.

C'est une voiture de charge d'un modèle qui était fort courant à l'époque et jusqu'au milieu du siècle, à travers nos campagnes : un tombereau de taille ordinaire, tout en bois massif et dur — châtaignier ou chêne — pouvant transporter de la pierre aussi bien que du fumier. Entre les deux très hautes roues à rayons, également en bois garni de fer sur la jante, un caisson carré (ou à peine plus long que large), dont les quatre côtés s'évasent plus ou moins vers le haut, peut basculer en arrière sur l'unique essieu et déverser ainsi son chargement par sa face postérieure, plus basse que l'avant et dont le panneau mobile s'ôte sans mal. La couleur en est naturelle : un gris délavé, vaguement noirâtre par endroit, qui témoigne d'une longue exposition au soleil et aux intempéries. Entre les brancards est attelé un vieux cheval à la robe argentée irrégulièrement tachée de noir, d'une excessive maigreur, qui paraît dormir en marchant, la tête basse. Il se dirige tout seul, à ce qu'il semble, car personne ne tient les guides.

Le tombereau ne contient pas les rameaux d'ajoncs annoncés, ou du moins ce serait en quantité très faible, formant une mince couche sur le fond, car le cavalier, qui s'est rapproché de façon sensible, n'en distingue toujours rien du haut de sa monture. Debout au centre de la caisse, il y a une jeune fille en robe blanche, grande et svelte et comme translucide, aussi blonde que les blés mûrs au soleil couchant.

Elle se tient avec grâce, immobile, dressée mais sans la moindre raideur. Ne s'appuyant pas aux parois latérales, n'ouvrant même pas les jambes afin de rechercher une assise plus stable, elle ne semble cependant gênée en aucune manière par les cahots de la charrette. Ses deux bras s'écartent légèrement de part et d'autre du corps, dans leurs amples manches de mousseline. Les coudes sont à peine fléchis et les fines mains relevées (dans une pose de harpiste, ou joueuse de mandore, bien plus que de paysanne), comme si ce frêle balancier suffisait à son équilibre. Les voiles blancs dont elle est vêtue volent par instant autour d'elle, dans les faibles souffles d'air du matin. On dirait de longues algues pâles enlaçant une tendre noyée.

Lorsque le cavalier atteint l'arrière du banneau, sur la gauche de celui-ci, découvrant alors les pieds nus, menus et nacrés, qui émergent entre les pans de soie vaporeuse, la jeune fille tourne lentement vers lui sa tête, ainsi que le haut du buste. Auréolé de sa chevelure d'or, le visage est d'une beauté presque immatérielle, cristalline, angélique, malgré la présence en même temps des très apparents signes convenus de la sensualité : regard trop candide et rieur, lèvres charnues, bouche entrouverte... Est-ce un sourire d'accueil, ou bien l'effet de la surprise...

Mais voilà que les grands yeux verts se lèvent maintenant vers le fer de la faux, tenu en l'air d'une façon qui en effet a de quoi surprendre, et une frayeur soudaine — si jolie qu'elle paraît feinte — se peint sur les traits de la diaphane ondine, dont le guerrier troublé ne sait plus trop si elle est la chaste messagère de Wotan, ou la fée-fleur placée en travers de son chemin par l'enchanteur Klingsor.

Au moment de poser la question qui lui brûle les lèvres « Etes-vous une églantine, un grand lis de rosée, ou bien une anémone ? », il porte les yeux à son tour sur la lame de sa faux, qui étincelle à présent dans les premiers rayons d'un blême soleil d'hiver. C'est alors seulement qu'il s'aperçoit — mais ne s'y attendait-il pas sans se l'avouer ? — que celle-ci est montée à l'envers, le tranchant vers l'extérieur, comme sur la faux de l'*ankou,* dont la légende vivace et toujours renaissante terrifiait sa petite enfance, il n'y a pas si longtemps.

Rabaissant son regard, perplexe, vers la route, il voit maintenant quatre cavaliers ennemis qui s'approchent en face de lui au trot enlevé, des uhlans chevauchant en quadrille sur de beaux alezans à la crinière brûlée, leurs quatre lances verticales, tenues rigoureusement parallèles et équidistantes, ornées sous la pointe de deux longues flammèches — une rouge, une blanche — qui se tordent à l'horizontale dans le vent. Ils portent des uniformes noirs, strictement ajustés, ainsi qu'un casque noir, dont l'étrange cimier de cuivre rutilant se termine par un losange à quatre éperons.

Avant que le soldat français n'ait réagi, déjà ils arrivent à sa hauteur. Mais ils ne montrent aucune hostilité à son égard, ils rient au contraire avec une bonne humeur bruyante, qui tranche sur leur impeccable maintien de parade. Au milieu des exclamations, de la gouaille, et peut-être des sarcasmes, l'un d'eux crie quelque chose en allemand, à l'adresse de mon père, quelque chose de joyeux dont il ne comprend pas le sens. Aussi s'abstient-il de répondre. Après l'avoir croisé, sans s'être écartés d'un pouce ni avoir le moindrement modifié la vive allure de leurs chevaux, frôlant presque au passage ce lent chevalier à la charrette qui brandit, sur sa lourde jument, son arme datant de la chouannerie, ils s'esclaffent de plus belle et s'éloignent, en négligeant de l'inquiéter davantage.

A partir de ce point, le récit de mon père devient évidemment plus incertain. Ayant été ainsi averti en vain à trois reprises — par l'*ankou,* d'abord, qui lui a mis entre les mains la faux maudite (que nul mortel ne peut toucher sans dommages), ensuite par la resplendissante fille du dieu des armées, qui s'est retournée pour lui sourire et l'a du même coup « désigné » de son regard d'ange, enfin par les quatre cavaliers noirs aux destriers rouges, tout droit issus d'une prophétie de saint Jean, qui lui ont transmis l'obscur message fatidique en riant de son innocence — il s'est avancé sans le savoir, d'un pas tranquille, vers sa propre mort.

Parmi les questions sans réponse dont le flot se pressait à son esprit sur le moment même (c'est-à-dire durant les brèves secondes qui séparent la disparition du dernier messager de l'instant fatal), comme au sein des hésitations et des doutes que remâchait son inquiétude quand, dix ans plus tard, il essayait encore — seul ou devant moi — de voir où achoppaient ses souvenirs, le seul élément qui demeure d'une version à l'autre, et qui se trouve officiellement inscrit dans son livret de soldat, sur la page où l'autorité militaire relate la mission

51

périlleuse des 20 et 21 novembre 1914, pour laquelle il s'était porté volontaire, est qu'aussitôt après il a sauté sur une mine allemande placée au milieu de la route.

Pourtant, la charrette — quelle charrette ? lui a demandé l'officier qui l'interrogeait à l'hôpital trois jours après, lorsqu'il est enfin sorti du coma — la charrette venait de franchir sans encombre cette ligne piégée. Mais elle était sans doute passée plus à droite, à une distance juste suffisante. Quant aux uhlans, ils avaient dû faire un petit crochet sur la gauche, à l'endroit précis dont ils connaissaient évidemment l'existence et les presque invisibles repères. Auraient-ils même, en passant, crié une plaisanterie incompréhensible à ce sujet, pour se moquer de lui, et riaient-ils à l'avance de cette mort certaine qui leur ôtait le souci de se battre sans honneur à quatre contre un ?

Mon père racontait, parfois, qu'au moment même où l'éclair de l'explosion l'aveuglait, il avait vu devant lui, à la place qu'occupait la jeune fille blonde une seconde auparavant, apparaître une croix de bois plantée dans la terre fraîchement remuée. Au centre de la croix, une plaque d'émail en forme de cœur porte l'inscription habituelle, dont il déchiffre les caractères noirs avec peine, très lentement, penché en avant pour suivre du doigt l'écriture ancienne, à demi effacée déjà : « Maréchal des logis Henri Robin, mort au champ d'honneur par malentendu. » Aussitôt après, la Walkyrie, sur son cheval ailé, est descendue vers lui pour l'emporter au Walhalla.

Dans une autre version, la troublante fiancée, debout sur sa charrette, avait les mains liées derrière le dos. Et ses frêles pieds nus, déjà tachés de sang, se blessaient davantage à chaque cahot du chemin sur les cruelles épines d'une litière d'ajonc. Le chevalier servant qui escorte sa belle devenait cette fois le bourreau menant au bûcher, ou vers l'échafaud, l'innocente vierge condamnée à périr par la hache ou les flammes ardentes. On avait pour cette occasion vêtu son corps de neige, auparavant soumis à la question, avec la robe blanche des pénitentes qui ont confessé leurs forfaits.

Mais cette variante-là doit être apocryphe, imaginée par moi vers ma douzième année, époque où je commençais à savourer délibérément la jouissance solitaire, les sévices érotiques méticuleux et le crime sexuel bien tempéré. Un jour de printemps où, selon l'habitude, je revenais à pied du lycée Buffon, j'avais feuilleté à l'étalage d'un soldeur de vieux livres, sur des tréteaux qui encombraient le large trottoir du boulevard Pasteur, un ouvrage pseudo-historique traitant des peines capitales en Turquie pendant la période ottomane. Attiré par une gravure, j'avais lu que, dans je ne sais quel sandjak ou pachalik d'Anatolie, le bourreau possédait un droit légalement reconnu de déflorer avant l'exécution les vierges condamnées à mort ; et que, si la victime était jeune et jolie, l'homme de l'art pouvait à son gré faire durer ce privilège une semaine entière, rendant visite chaque nuit à la prisonnière enchaînée dans son cachot. J'imaginais, bien entendu, que le plaisir du viol se trouvait encore accru par la promesse des supplices — toujours affreux en ces temps lointains, à travers l'Orient, ô Gustave Flaubert ! — qu'elle allait endurer au sortir de mes embrassements et de mes caresses.

Ma rêverie enfantine se trouvait d'ailleurs encouragée dans ce sens par l'image elle-même qui venait illustrer ce passage du gros volume, relié en moleskine rouge et or archi-usée, où les chairs livrées à merci, leur grâce, l'impudeur, avaient tout de suite retenu mon attention précocement spécialisée dans le sadisme. C'était une pointe sèche en pleine page, montrant avec une grande finesse de détail, et un talent certain, la phase initiale préludant à l'exécution proprement dite d'une des ravissantes accusées en question, dont l'arrestation, l'interrogatoire, le jugement et les sept jours de sursis faisaient plus haut l'objet d'une narration minutieuse. Au-dessous, la légende annonçait : « Les derniers moments de la princesse Aïcha ».

Le décor représente la cour intérieure d'une citadelle turco-mauresque, à l'ombre de sa mosquée. Des longues traînées dramatiques barrent le ciel obliquement. Au premier plan, la pucelle coupable, qui a d'ailleurs maintenant perdu sa précieuse fleur et dont les fautes imaginaires n'ont été avouées que sous les tourments, est vue ici en faible plongée, comme depuis le haut d'une tribune, d'où les autorités judiciaires surveilleraient la stricte application de leur sentence autant que les réactions de la patiente, qu'ils doivent consigner dans le rapport final. On l'a mise nue, comme il se doit, étendue sur le dos à même le dallage en marbre noir. Un public choisi assiste au spectacle autour des magistrats, assis sur des sièges garnis de coussins, mais tous ces gens sont absents de l'adroite figuration, car ils occupent la place, hors champ, du lecteur aux joues enfiévrées.

La jeune fille a les jambes maintenues très ouvertes et tendues ; le ventre est délicat, la taille fine, le cou long et bien galbé, un peu renflé par la posture comme celui d'une pigeonne. Ses chevilles sont encordées étroitement à deux forts anneaux scellés dans la pierre. On n'aperçoit pas ses mains, attachées ensemble derrière le buste et peut-être retenues au sol par un semblable (mais invisible) anneau supplémentaire, ce qui expliquerait déjà la position légèrement chavirée du torse, tourné de cette manière vers le spectateur. Cependant une autre raison, encore plus déterminante, justifiant cette attitude à l'élégance contrainte, pourrait être la souffrance extrême que la prisonnière éprouve en cet instant, car le soc à pointe effilée d'une charrue commence à pénétrer, entre les cuisses écartelées, la discrète fourrure rousse du pubis.

L'axe du corps n'est pas parallèle au bord inférieur du tableau, mais incliné de telle façon par rapport à lui que j'ai tout loisir de contempler, selon mes goûts, le tendre entrebâillement de la vulve ou les seins ronds aux petits bouts dressés, qui s'offrent vers moi dans un agréable spasme de douleur, ou bien encore le gracieux visage de martyre gisant à la renverse, dont la douceur s'abandonne au milieu d'une abondante chevelure défaite, dorée, vénitienne, répandue alentour jusque sous les épaules. La bouche s'entrouvre dans un râle muet, comme d'extase ; les grands yeux sont dilatés par l'horreur, qui pourtant débute à peine, et que le bourreau amoureux s'apprête à poursuivre avec lenteur et application.

L'homme tient à deux mains les mancherons de la charrue, dirigeant le soc d'un geste ferme et le maintenant de toutes ses forces bien horizontal, car en même temps deux cavales superbes, qu'on admire au second plan, sur la droite, tirent, à demi cabrées, l'instrument de labour. Elles sont montées par deux janissaires en turbans à aigrettes. L'un d'eux, celui de gauche, se retourne vers le corps empalé afin de contrôler la tension des chaînes et le bon déroulement du sacrifice.

La charrue est du type araire, c'est-à-dire dépourvue de roues. Le fin graphisme témoigne d'un louable souci d'exactitude et de précision, que ce soit dans les costumes chamarrés des tortionnaires, dans le mouvement des chevaux ou dans l'exposition lascive de la suppliciée. En fait, l'ensemble du dessin donne l'impression d'être bien informé, malgré son romantisme ; et je ne pensais pas alors qu'il était permis de mettre en doute, néanmoins, le caractère historique inhérent à ce genre d'ouvrage, la représentation de l'épisode trahissant en tout cas des soucis d'esthète fort suspects dans une stricte perspective de science. Mais il en va de même pour des peintures beaucoup plus célèbres, tel ce chef-d'œuvre authentique évoquant les massacres de Chio où se mêlent aussi les magnifiques montures empanachées, les beaux mâles sans miséricorde et la splendeur des formes féminines promises à leurs sabots, et à leur délire, déshabillées pour la circonstance à l'abri de l'art académique officiel.

J'ai retrouvé du reste, vers la fin des années 40, vif et intact, ce même fantasme de la charrue éventreuse. C'était dans la bouche d'une jeune Française du Maroc qui rapportait avec une complaisante émotion — et de source sûre, disait-elle — la récente exécution par ce moyen aussi improbable que barbare d'une nouvelle épousée, d'origine européenne, accusée par un vieux seigneur de l'Atlas d'avoir perdu sa virginité avant le jour des noces. Je me suis rappelé aussitôt, avec une violence toujours fidèle, mes voluptés toutes neuves de petit garçon. Et, pour cette raison, un archaïque engin de labourage menace à deux reprises la nudité d'une figurante, puis celle plus émue de Catherine Jourdan, dans la Tunisie de *L'éden et après*.

Une autre fois, pendant la guerre d'Espagne (j'ai donc environ quinze ans), nous regardons des livres à la librairie Gibert, au bas du boulevard Saint-Michel, un samedi soir, mon père, ma mère et moi. Il y a là un album relatant des atrocités commises par les républicains, histoires plus ou moins légendaires auxquelles mes parents semblent ajouter foi. Les documents photographiques sont flous et peu décisifs, beaucoup moins satisfaisants certes que les belles gravures maniaques des *Peines capitales en Turquie à la fin du XVIIe siècle*.

Une image, plus nette que les autres, montre seulement une très jeune femme dans le costume des Brigades internationales, encadrée par deux phalangistes qui viennent de la capturer. Ma mère remarque à haute voix que l'ennemie est en tout cas bien séduisante. « Tant mieux, dit mon père, comme ça les gars vont pouvoir s'amuser un peu. » Les deux hommes, nettement plus grands qu'elle, tiennent la fille avec fermeté, chacun par un bras, enserrant d'une main dure le poignet fragile et de l'autre le coude, juste au-dessus de l'articulation. Et ils sourient face à l'objectif.

On dirait des chasseurs qui se font photographier avec leur proie vaincue. Mais ici la jeune lionne est encore vivante. Un mélange de peur et d'impuissante révolte se lit dans ses yeux noirs, qui paraissent chercher quelque impossible issue. Ses sombres cheveux bouclés sont tout en désordre, une mèche souple retombant sur la tempe (on croirait la voir bouger) et une autre plus courte sur le front, le col de son blouson est ouvert largement, le chemisier blanc déboutonné, attestant qu'elle ne s'est pas laissée prendre sans mal. Palpitante, embrasée par sa lutte furieuse, toute chaude et mouillée, elle semble maintenant avoir cessé (provisoirement ?) de se débattre. Elle a l'air d'un svelte animal affolé, pris dans un piège...

« Tant mieux... s'amuser un peu avec elle... » mon père n'a pas précisé de quels jeux il s'agit. Je comprends du moins que son rôle, à elle, y sera celui du jouet, petite souris frémissante entre les griffes d'un chat, tendre poupée de chair soumise à tous mes caprices, sans défense, ne s'animant que pour mon plaisir : vains sursauts de pudeur qui m'exciteront davantage, brève rébellion retardant l'étreinte et la rendant plus savoureuse, tressaillements sous les premières brûlures ou bientôt, contenue dans des liens qui en même temps exhiberont ses charmes et lui interdiront toute résistance, longues convulsions de souffrance dont je vais pouvoir me repaître sans frein, dès cette nuit.

Mes parents, pour leur part, n'ont plus fourni aucune indication, ni commentaire, sur le sort qui attend la vaillante supplétive dès que ses vainqueurs l'auront emmenée vers quelque cellule tranquille, toute blanche, au soupirail fermé de forts barreaux, au sol garni de paille... Un silence, opaque, s'installe, une sorte de gouffre où je me sens aspiré... Au viol traditionnel, j'ai toute latitude, en effet, de rajouter à présent les humiliations de mon choix et la succession des tortures sexuelles plus ou moins répertoriées, que je complique d'heure en heure. On commence donc, en lui enfonçant des aiguilles sous les ongles en guise de dressage, reprenant ensuite ses doigts blessés au moindre retard d'obéissance, par la contraindre à se mettre elle-même toute nue devant ses maîtres et à faire admirer les douces chairs intimes que l'on s'apprête à martyriser.

Rachetant à tout hasard les problématiques excès commis par des rouges dans les couvents, la trop attrayante captive finissait, après maintes pénétrations plus ou moins déchirantes, agrémentées ou entrecoupées de supplices progressifs, de plus en plus cruels, par mourir écartelée entre quatre cavaliers marocains, dans la cour de sa prison. Ceux-ci, craignant d'arracher trop vite les bras, dont l'attache est moins solide, ne tendent d'abord qu'à peine les chaînes des poignets, pour laisser même par moment toute liberté de contorsion à la taille, au buste, à la gorge, tandis qu'ils étirent peu à peu les jambes au grand écart...

Sur ce même thème — filles et chevaux — j'ai souvent signalé, dans la volumineuse et sage *Histoire de France* d'Henri Martin, qui trônait en place d'honneur sur les rayons de notre modeste bibliothèque, à Kerangoff, une illustration échevelée dont la sensualité sadique a longtemps bercé mes songes : la reine Brunehaut, âgée d'une vingtaine d'années à peine, si l'on en croit la juvénile fraîcheur de son corps entièrement dévêtu qui se tord dans un abandon voluptueux (heureuse époque d'innocence ou bien subterfuge hypocrite ?), est traînée à travers la forêt primitive aux roches aiguës, un pied attaché à la queue d'un étalon sauvage, lancé au galop. La crinière flamboyante de l'animal, son panache caudal dont la charge n'entrave en rien le majestueux éclat, la longue chevelure de la suppliciée qui ondule comme une torche à plusieurs mètres derrière elle, tout concourt à l'embrasement du décor. Et, dans l'incendie qui fait rage, le rêve passe, grand mirage d'albâtre illuminé au milieu des flammes.

Me revient alors en mémoire une aventure prêtée à Henri de Corinthe, dont j'ai déjà parlé — je crois — dans les *Souvenirs du triangle d'or,* où se mêlent aussi les coursiers fougueux, l'algolagnie active et les charmes dévoilés des adolescentes. Lors de la répression aux frontières de l'Uruguay, peu d'années après la fin de la Seconde Guerre mondiale, il aurait organisé, ou du moins serait impliqué dans des parties de chasse à courre où les biches (le plus dangereux gibier, disait-il en riant) étaient remplacées par des jeunes filles en tenues fort légères, âgées de quinze à dix-huit ans, que les veneurs forçaient à cheval en lançant à leurs trousses une meute de chiens spécialement dressés à déchirer en pleine course mini-robes ou lingeries, ainsi qu'à mordre l'intérieur des cuisses.

Enfin jetées à terre, pantelantes et à bout de forces, déjà profondément entaillées par les crocs, on les violentait avec emportement dans la chaleur de l'hallali, avant de les immoler l'une après l'autre ou par petits groupes, lors de mises en scène sanglantes évoquant des massacres à Carthage, ou bien les jeux du cirque à l'époque bénie où d'innombrables et radieuses chrétiennes servaient pour assouvir les instincts pervers de la foule, comme ensuite la passion des futurs lycéens épris d'histoire romaine. La décapitation au sabre de cavalerie, à genoux devant une souche, comptait — dit-on — parmi les moins atroces fins, encore qu'on la réussisse rarement du premier coup, et l'empalement sur un jeune baliveau taillé en pointe parmi les plus appréciées. Mais les crucifixions variées, à la fourche des arbres, contre les gros troncs, ou sur des chevalets construits à la hâte avec rondins et branches abattues, avaient aussi leurs chaleureux partisans, car on pouvait encore, après les avoir ainsi clouées dans d'intéressantes postures qui faisaient ressortir leurs attraits tout en leur disloquant les membres, torturer les plus émouvantes des victimes avec coutelas et tisons rougis, jusqu'à les voir rendre l'âme.

Personne évidemment n'a jamais pu prouver le bien-fondé de telles accusations. Et le comte Henri affectait, la tête haute, de n'avoir affaire ici qu'à la névrose de ses détracteurs. Cependant, la belle Angélica, qu'il avait connue justement durant cette période trouble et agitée de son existence, semble bien avoir assisté (simple spectatrice, chasseresse elle-même, ou bien prisonnière épargnée au dernier moment ?) à quelque chose de ce genre. Dans une curieuse lettre à l'un de ses oncles, la très jeune femme-enfant fait en effet allusion à des scènes de chasse « d'un genre fort spécial » dans le nord du pays. Mais elle ne donne aucun détail précis sur les lieux ni les dates, et ne cite pas le nom des participants, si bien que son trop bref récit ressemblerait plutôt, en fin de compte, à ces faits divers scandaleux dont la relation plus ou moins enjolivée circule dans toutes les contrées du monde, et que les voyageurs rapportent volontiers à leurs correspondants lointains.

Signalons enfin, pour clore ce long chapitre obsessionnel, où je sens déjà pointer l'agacement de mon lecteur, sinon ses reproches déclarés, que la jolie fille déshabillée poursuivie par les chiens à travers le sous-bois, mordue en haut des jambes et alentour, figurait en illustration d'un conte de Boccace, dans le recueil à bon marché découvert parmi les trésors secrets d'une vieille malle, tout au fond du grenier torride aux poutres trop basses de Kerangoff, sous la toiture en zinc surchauffée par le soleil d'août, territoire réservé aux objets hors d'usage comme aux distractions sans contrôle des enfants. Elle se retrouve maintenant dans *Le jeu avec le feu,* mon avant-dernier film, et l'appétissante starlette qui tient le rôle m'a procuré de vives satisfactions, tant au cours de l'assaut que lors du festin où l'on servait ensuite son tendre corps en belle-vue.

Coupable ou non de s'être livré à ces excès en Amérique du Sud, c'est de toute manière un comte de Corinthe tout différent, qui semblerait presque un autre personnage, dont mon père a fait la connaissance au front, quarante années auparavant, à l'occasion des événements rapportés plus haut. Rentrant d'une tournée d'inspection au matin du 21 novembre 1914, le jeune capitaine de Corinthe passe à cheval sur la petite route aux peupliers mutilés, à la tête d'une patrouille. Il remarque dans le fossé ce jeune soldat mort qui n'a pas de blessure apparente, dont la capote ne porte aucun signe distinctif et qui tient encore, tel un drapeau couché à son côté qu'il voudrait emporter dans la tombe, au paradis des héros sacrifiés, une étrange faux montée à l'envers sur un manche d'ivoire.

Ayant mis pied à terre pour examiner de plus près cette arme anachronique, sur laquelle une main (la gauche) est demeurée crispée, l'officier constate que les doigts sont tièdes et, de même, le poignet qui émerge d'une vareuse en drap couleur de terre. Le cœur bat toujours, quoique faiblement. Ni cette vareuse, ni la capote d'une semblable teinte brunâtre, n'appartiennent aux uniformes de l'infanterie (bleu horizon) ou de la cavalerie (rouge et gris foncé) portés par les troupes françaises durant ces premiers mois du conflit. Il pouvait s'agir aussi bien d'un Allemand. Quant au manche de la faux, on aurait dit des os, humérus ou tibias féminins, étroitement ajustés bout à bout.

Corinthe charge sur son propre cheval le blessé inconscient, aidé par deux des hommes qui l'accompagnent ; l'un hissant, l'autre poussant, ils l'établissent tant bien que mal sur l'encolure de la bête, devant lui. Et il ramène ainsi son fardeau jusqu'au poste de commandement où il doit se rendre. Trois jours plus tard, il apprend que le cavalier à la faux est enfin sorti du coma et il se présente aussitôt à l'hôpital de campagne afin de l'interroger sur son lit (sous prétexte de renseignement militaire, mais poussé en fait par de plus obscures raisons). Mon père ne souffre, lui apprennent les infirmières, que d'un fort traumatisme crânien, dû à sa chute, et d'une blessure à l'oreille interne causée par la déflagration. Rien de tout cela ne met sa vie en danger, ni ne nécessite une évacuation rapide vers l'arrière. C'est le corps du cheval qui, par miracle, a dû lui servir de rempart contre les éclats de l'engin.

Cependant le capitaine n'obtient aucune indication, même fragmentaire, se rapportant à la faux qui l'a tellement intrigué (rappelons que Corinthe, breton lui aussi, connaît bien les légendes de la mort, en Finistère), car le maréchal des logis ne se souvenait alors ni du vieillard chancelant, ni de l'instrument bizarre qu'il portait sur l'épaule. Encore commotionné, il avait perdu toute mémoire cohérente de ce passé immédiat, dont surgissaient seulement çà et là quelques bribes fuyantes et disjointes, qui, sitôt jaillies dans son esprit et à peine formulées sur ses lèvres (« Les roues de la charrette grincent... »), disparaissaient aussitôt après dans les ténèbres, souvent pour ne plus jamais revenir. Il parlait aussi du soc effilé d'un araire, de chiens lancés dans une poursuite à travers bois, d'une jeune prisonnière ennemie (?) emmenée entre deux gendarmes...

Et comme s'évanouissait, dans l'instant même où il repêchait ces mots sans suite au fond de quelque abîme, jusqu'au souvenir de les avoir murmurés, Corinthe s'est bientôt rendu à l'avis du major, qui voyait seulement dans ces divagations absurdes une rémanence passagère du délire suivant de façon normale le réveil (où personne d'ailleurs n'avait pris la peine de l'écouter) après un tel choc et une totale perte de conscience, c'est-à-dire une si longue absence à soi-même, séquelles dont le malade se débarrasserait à présent très vite.

Quant à la faux paradoxale, qui était sans qu'il se l'avoue clairement l'origine de ses investigations dans la mémoire en ruine de mon père, le capitaine l'avait fait rechercher dès le lendemain, puisque ce secteur, qui se trouvait dans la zone considérée comme no man's land, semblait désormais plus tranquille. Mais, bien que l'endroit exact fût aisément repérable, la mine allemande ayant creusé un petit entonnoir au milieu de la chaussée et fini d'abattre quatre jeunes troncs, l'objet était demeuré introuvable. On pensa qu'un pilleur de cadavre l'aurait ramassé, quelques heures auparavant, à la faveur de la nuit.

Cependant l'amitié des deux hommes date de ce jour-là, où l'officier, assis sur une chaise au chevet du blessé, tentait inutilement de comprendre ses paroles, comme d'interpréter ses silences et ses oublis. En consultant les papiers militaires du maréchal des logis rescapé, il s'était en effet tout de suite aperçu — et, précisons-le, avec un sursaut d'étonnement — de plusieurs coïncidences qui bientôt l'avaient plongé dans un grand trouble, presque dans l'angoisse : ce jeune soldat qui lui ressemblait beaucoup au physique — même taille, même corpulence, même coiffure, traits du visage assez voisins, avec les mêmes yeux enfoncés sous d'épais sourcils noirs, le même nez fort et busqué, la même dissymétrie de la bouche — était lui aussi né à Quimper un 21 novembre, à trois ans de distance jour pour jour. Tous les deux, enfin, s'appelaient Henri. Corinthe avait vingt-cinq ans ce matin-là et serait mort probablement, pour fêter son propre anniversaire, si l'autre cavalier breton, son sosie, son double, n'était passé sur la route fatale à peine une heure avant lui, et n'avait ainsi fait exploser l'engin qui lui était destiné.

Mais cette idée que mon père lui avait donc sauvé la vie était réciproquement partagée, en retour, par ce dernier : abandonné près du cadavre de son cheval éventré, il serait mort lui-même, sans aucun doute, si le providentiel capitaine ne l'avait découvert et transporté d'urgence à l'hôpital, car, même alors, trois jours de soins attentifs s'étaient révélés nécessaires pour que les médecins réussissent à le sortir du coma. Chacun, en somme, devait à l'autre son salut.

Longtemps après, des mois, des années plus tard, je ne sais trop, lorsqu'une nuit d'épais brouillard, entendant le bruit grinçant d'une charrette à l'ancienne mode dans quelque chemin creux de Basse-Bretagne, mon père a soudain retrouvé le souvenir du vieillard au rire dément, il a pensé que celui-ci tenait à son tour un rôle primordial (bien qu'ambigu) en cette affaire : si, comme tout le laisse croire, il était véritablement l'*ankou* (qui annonce le trépas et, peut-être, choisit ceux qui vont accomplir le grand voyage), n'avait-il pas cependant protégé la victime en lui faisant porter sa faux, puisque celle-ci — et elle seule — avait causé l'intervention du capitaine ? Lui épargnant de succomber, le messager maudit devenait en outre l'intermédiaire qui lui présentait le seul grand ami de toute son existence.

Vers cette même époque où mon père avait renfloué comme une épave, remontée tout à coup du fin fond de sa mémoire perdue, le vieil homme décharné avec son chapeau rond, ses ricanements de hyène et sa faux à deux tranchants (fatale en même temps que salvatrice), un autre lambeau de passé émergeait d'une manière aussi abrupte à la surface de sa conscience, venu des mêmes journées de novembre : une très jeune fille emmenée comme prisonnière par deux soldats qui la maintiennent avec fermeté, chacun lui serrant un bras, juste au-dessus du coude. Elle porte un pantalon d'homme, noir, ajusté sur les hanches et les fesses, comme ceux des marins. Son corps paraît svelte et bien fait. Elle n'est pas grande, nettement plus petite, en tout cas, que ses gardiens. On sent qu'elle tremble un peu, émue sans doute par sa capture, toute récente.

Elle ne s'est pas rendue sans lutte, ce qui a étonné les deux hommes, tant sa résistance paraissait vaine, et absurde par surcroît puisqu'elle niait le rôle d'espionne, ou d'agent ennemi, qu'on lui attribuait. Son blouson en cuir, de teinte verdâtre, s'était dégrafé, tant elle se débattait avec rage, et il laissait voir à présent dans le vé du col largement ouvert un chemisier blanc déboutonné. Ses cheveux bouclés, très sombres, étaient en désordre, témoignant eux aussi de la poursuite et du corps-à-corps. Elle haletait un peu, les narines palpitantes, sa belle bouche charnue légèrement entrouverte. Ses mains étaient enchaînées dans son dos par des menottes en acier brillant.

Là encore, cependant, mon père avait bien du mal à insérer une telle image dans quelque chaîne chronologique d'une certaine étendue. A quoi se rattachait exactement l'épisode ? Les trois jours qu'il avait passés dans un coma mortel, après l'explosion, et qu'il appelait en se moquant de soi-même « le signe de Jonas » par référence irrespectueuse — il me semble — à la parole du Christ, annonçant sa future résurrection après trois jours engloutis dans le ventre de la baleine, ces trois jours au tombeau avaient bouleversé définitivement tout ce qui concernait l'équipée solitaire des 20 et 21 novembre 1914.

Et puis cette image s'en allait à nouveau. Et c'était de nouveau trop tard. Il en irait donc pour les événements de notre passé comme pour ceux du présent : les arrêter n'est pas possible. Instants fragiles, aussi soudainement apparus que vite effacés, nous ne pouvons ni les tenir immobiles, ni en fixer la trace de façon définitive, ni les réunir en une durée continue au sein d'organisations causales à sens unique et sans faille. Ainsi ne saurais-je partager l'avis de Philippe Lejeune concernant la mise en texte des souvenirs. « L'exigence de signification est le principe positif et premier, dit-il, de la quête autobiographique. » Non, non ! Certainement pas ! Cet axiome n'est valable, de toute évidence, ni pour le manuscrit dont la rédaction a occupé Corinthe pendant les deux dernières décennies de son existence, ni pour ma propre entreprise actuelle.

Il ne peut s'agir pour moi, en particulier, d'attribuer quelque unité profonde à ces instants de diamant précaires, ou ensuite à ces pans de brume, qui refusent les uns comme les autres l'emploi du passé historique, seul gage certifié de cohérence, de continuité, de chronologie, de causalité, de non-contradiction. J'ai beau m'y essayer, ça ne prend pas : « On pensa qu'un pilleur de cadavre... un pilleur d'épave... », etc. (voir plus haut). Bien vite, je dois revenir à l'indéfini et à l'instantané. En même temps que la cohérence du monde, s'est effondrée la compétence du narrateur. La patiente écriture des fragments qui demeurent (provisoirement, je le sais) ne peut en aucun cas considérer mon passé comme producteur de signification (un sens à ma vie), mais au contraire comme producteur de récit : un devenir à mon projet d'écrivain. Ce qui est à la fois plus honnête et plus exaltant.

Aussi, je vois très peu de différences entre mon travail de romancier et celui-ci, plus récent, d'autobiographe. Les éléments constitutifs, tout d'abord, sont bien de même nature, puisés dans le même trésor opaque. N'avais-je pas déjà introduit dans mes romans, dès le début, le décor vrai de mon enfance (les îles bretonnes d'*Un régicide* et du *Voyeur*), la mesure réelle de mon propre visage (prêtée à Wallas, le policier maladroit des *Gommes*), telle maison que j'avais en fait habitée (celle de *La jalousie,* qui était à Fort-de-France au-dessus de la rade, parmi les goyaviers et les cycas, et dont j'ai recherché vainement le jardin ou la terrasse, il y a trois ans, dans le dédale des constructions modernes et des chantiers), des voyages aussi que j'avais accomplis jadis (à Hong-Kong, par exemple, dans *La maison de rendez-vous,* à l'époque lointaine des grandes jonques majestueuses et des sampans de rotin), et encore mes fantasmes sado-érotiques personnels (propriété commune à beaucoup de gens, il faut dire, dans *Projet pour une révolution, Topologie,* le *Triangle d'or,* etc.), l'usine où j'ai travaillé comme prolétaire (transportée de Nuremberg dans la ville d'*Un régicide*), et jusqu'aux petites filles que j'avais aimées, comme la Violette du *Voyeur,* qui s'appelait Angélique et dont je reparlerai plus loin, si j'y pense... Elle est morte très jeune, elle aussi, sur une falaise du pays de Léon, dans ce qu'il a bien fallu, faute de preuve, considérer comme un accident.

Quant aux organisations des récits, dans un cas (les prétendues fictions) comme dans l'autre (les pseudo-recherches autobiographiques), je reconnais sans mal qu'elles représentent le même espoir, sous des formes diverses, de mettre en jeu les deux mêmes questions impossibles — qu'est-ce que c'est, moi ? Et qu'est-ce que je fais là ? — qui ne sont pas des problèmes de signification, mais bel et bien des problèmes de structure. Il ne s'agit donc pas de me rassurer par de fausses cohérences figées, plaquées de l'extérieur. Je dois prendre garde au contraire de toujours ménager le mouvement, les manques, et la contingence inexplicable du vivant.

J'aurai en somme seulement, depuis *Le miroir qui revient,* compliqué un peu plus la donne et proposé comme nouveaux opérateurs de nouvelles cartes truquées, en introduisant cette fois parmi les effets de personnages qui avaient nom Boris, Edouard Manneret, Mathias ou Joan Robeson, un autre effet de personnage qui s'appelle moi, Jean Robin.

Et là, il me faut avouer une brisure supplémentaire, radicale et fulgurante. Je me sens traversé sans cesse, dans mon existence réelle, par d'autres existences, tout aussi réelles sans doute : des femmes que j'ai connues, mes parents, des personnages historiques — écrivains, musiciens, guerriers — dont j'ai lu ou entendu raconter la vie, et encore les héros de roman, ou de théâtre, qui m'ont nourri de leur substance — Notre-Dame des Fleurs, Christmas, Mahu, Joseph K. ou Stavroguine, Macbeth ou Boris Godounov — dont les instants éclatés, denses, présents, incontestables, soudain se mêlent aux miens. Mais voilà que la plupart d'entre eux sont des assassins, enchanteurs, qui se sont glissés jusqu'à mon sommeil, si bien que leur irruption va enfreindre de nouvelles lois, ouvrir de nouveaux abîmes.

Parfois de tels recoupements peuvent au contraire m'aider à combler quelque lacune inutile, une case manquante sans effet générateur, comme ici le journal tenu (probablement *a posteriori*) par le capitaine de Corinthe, où il raconte en détail sa journée du 20 novembre, veille de son vingt-cinquième anniversaire. Ce jour-là, il est parti du quartier général dont dépend son unité vers cinq heures du matin. A cheval, au petit trot, suivi de son ordonnance et de deux soldats, il a traversé sans encombre le no man's land en empruntant une autre route secondaire, située plus au sud, c'est-à-dire moins exposée encore, vers l'arrière. Il est arrivé à six heures vingt, avant le lever du jour, dans notre poste avancé, de l'autre côté de la poche ennemie qui entaille depuis peu nos lignes. Il a gagné aussitôt le hameau de V., en bordure de la forêt des Pertes, au nom prédestiné puisque nous l'avions reprise au prix de combats très meurtriers à l'arme blanche.

Là, il s'est enquis du cavalier Simon, un simple

brigadier qui devait lui remettre les plans et codes d'une installation téléphonique de campagne, hâtivement rétablie entre les deux unités qui se sont trouvées séparées par la percée allemande (percée peut-être temporaire, d'ailleurs, puisque l'ennemi semblait s'être déjà retiré, de son plein gré, pour des raisons qu'on ne s'expliquait pas). Mais voilà que ce Simon est lui-même en route pour une mission de courte durée, décidée en dernière minute, témoignage de la confusion qui règne depuis plusieurs jours dans le secteur : il doit escorter à travers la forêt des Pertes une jeune fille soupçonnée d'être un agent ennemi. Elle aurait favorisé la récente rupture de nos défenses en introduisant un puissant narcotique dans le vin de la troupe, après avoir séduit le jeune soldat préposé à la garde du magasin.

Ce soldat ayant été tué dans les durs combats du lendemain, qui ont tourné à notre désavantage, on n'a pu recueillir aucune véritable déposition sur l'affaire. Et l'accusation publique pourrait provenir seulement de l'espionnite aiguë qui sévit en ce moment chez les civils, aggravée ici par l'étrange haine dont la jeune fille paraît victime auprès de tous les paysans du village, depuis bien avant la déclaration de guerre. Son père a déserté sur le front, dès le mois d'août, et il est porté disparu. Quant à sa mère, qui vit désormais très à l'écart, elle ne fait guère exception, cependant, dans le concert de malédictions qui accable l'adolescente.

En fait, on lui prête tous les crimes, à cause apparemment de sa « beauté du diable » jointe à une sensualité précoce et ravageuse (exécrée par les femmes, jalouses ou puritaines, crainte par les hommes, même s'ils en ont bénéficié sans vergogne) qui l'aurait autrefois fait condamner comme sorcière, succube, démon femelle et suppôt de Satan. Aussi est-il probable que l'autorité militaire n'aurait pas retenu longtemps l'imputation (tout le vin ayant été bu, rien n'en restait pour l'analyse), si la farouche attitude de la fille lors de son arrestation n'était apparue, en définitive, comme suspecte.

Le brigadier Simon est donc parti dès l'aurore sur son cheval, le fusil en bandoulière, surveillant la prisonnière que lui ont livrée deux gendarmes, très peu de temps après sa capture. Son arrivée entre les deux hommes qui lui tiennent les bras avec fermeté, le frémissement visible de toute sa personne, ses mains enchaînées dans le dos par des menottes neuves, dont l'acier chromé étincelle au soleil matinal, tout cela, déjà décrit, n'a pas changé. Il est inutile d'y revenir. Les deux fantassins ont hissé sans mal la jeune fille dans une charrette, un vulgaire tombereau à fumier, où elle reste maintenant debout, soit par orgueil, soit par un vague espoir de s'enfuir à la première occasion, en dépit de ses mains entravées, soit encore pour protester de son innocence.

Elle se tient d'ailleurs en parfait équilibre sans difficulté apparente, négligeant de s'accoter aux parois, même quand le cheval gris décharné fait passer l'une ou l'autre des deux hautes roues en bois, cerclées de fer, sur une ornière ou un nid de poule, secouant alors de cahots grinçants tout l'inconfortable véhicule. Ce cheval a pourtant un avantage : il avance tout seul. On lui a laissé les guides lâches et, comme il est vieux, il en profite pour aller lentement, la tête basse, ce qui contraste avec le fier maintien de sa passagère. Le cavalier Simon, fils de paysan (son père est vigneron dans l'Hérault), a été choisi pour cette corvée parce qu'il sait diriger une bête à la voix, ce dont il s'acquitte d'un pas tranquille, chevauchant un peu en arrière, à la hauteur des roues mal graissées.

Il fait un temps exceptionnellement doux pour la saison. La brume s'est dissipée très tôt et le gai soleil trace des rais obliques, parallèles ou en faisceaux divergents, entre les troncs des arbres et les basses branches. La forêt — hêtres et ormeaux — est encore assez peu hivernale, bien des feuilles brunies demeurent accrochées aux ramures. Elle n'a été que partiellement ravagée par les combats et des oiseaux pépient dans les cimes, comme en temps de paix. Une espèce de fauvette accompagne les voyageurs, en se posant d'arbuste en brindille, sur le bas-côté de la petite route, s'envolant au passage de la charrette pour se reposer quelques mètres plus loin, dans les ramilles aux dessins délicats, soulignés de rosée brillante en chapelets de gouttelettes.

Elle pousse de menus cris, discrets, sur deux ou trois notes éparses, ou bien en courtes phrases à peine plus complexes. On dirait qu'elle raconte quelque chose, comme un enfant qui articule doucement des mots isolés, des lambeaux de récit, puis s'interrompt, et reprend plus loin son discours décousu, poursuivant sans doute une cohérence intérieure subtile, non perceptible pour un adulte. Et Simon a l'impression, par instant, que l'oiseau cherche à lui communiquer un message. Cette pensée le fait sourire. La fille, à côté de lui dans la charrette, s'est calmée peu à peu. Elle se tourne vers son gardien et sourit à son tour, un sourire enjoleur à lèvres disjointes qui trouble le jeune cavalier. Elle s'en aperçoit, bien entendu. Lui faisant les yeux doux et jouant avec habileté de ses grandes prunelles noires, elle demande :

« Comment tu t'appelles ? »

La voix est limpide, musicale, sans sauvagerie ni rancune. Elle se mêle aux murmures de la forêt comme si c'était encore une tourterelle qui roucoulait dans les arbres, dans ce faux printemps, dans cette fausse paix ; voix intime, familière, un peu plus veloutée cependant qu'il ne serait de mise, et dont la douceur cacherait peut-être un sens obscur : appel, enchantement, mise en garde... Méfie-toi, innocent cavalier !

« Comment tu t'appelles ? »

Simon hésite à répondre. Puis il réfléchit qu'après tout ce n'est pas un secret militaire.

« Simon, dit-il en restant néanmoins sur la défensive.

— C'est ton nom ou ton prénom ?

— C'est mon nom de famille, répond le cavalier.

— Et ton prénom, c'est comment ? »

Ses parents, le jour de son baptême, l'ont nommé Jean-Cœur. La mairie comme l'église ont accepté la double référence à saint Jean l'Evangéliste et au Sacré-Cœur de Jésus. Mais il n'aime pas ce prénom, qu'il juge ridicule et plutôt efféminé. Sa belle cousine germaine, qu'on a baptisée Corinne par une filiation du même genre, l'appelle souvent Joli-Cœur, parce qu'il a une figure gracieuse qui plait aux filles. C'est plus gentil que moqueur, mais ça le fait enrager. Ici, heureusement, rien ne l'oblige à donner son vrai prénom, qu'il n'avoue jamais sans honte. Peut-être même a-t-il le devoir de mentir, si cette prisonnière provocante est vraiment une espionne.

« Mon prénom, c'est Pierre, dit-il sans se détendre.

— Moi, c'est Carmina. Mais à la maison, ou chez les

voisins, on m'appelle Mina, tout simplement. Tu trouves
ça joli ? »

N'obtenant pas de réponse, elle ajoute, après un
silence, rêveuse :

« Et les hommes, eux, disent que je suis Carmen. »

Puis, comme ses avances ne parviennent pas à tirer
son gardien de ce qui doit être plus qu'une extrême
réserve, et ressemble maintenant à de l'hostilité, elle
murmure encore de sa voix chaude, câline, bien timbrée
quoique assez basse :

« Toi, j'aurais plutôt cru que tu t'appellais Joseph ! »

Mais le brigadier ne relève pas l'allusion à Mérimée,
ni celle — biblique et encore plus visible — à la femme
de Putiphar. Peut-être, d'ailleurs, l'adolescente ne
connaît-elle ni l'histoire de Joseph, fils de Jacob et de
Rachel, ni celle de don José. Elle aurait dit cela, aussi
bien, pour avoir entendu déjà le mot dans ce sens
persifleur. Quant à Jean-Cœur, il pense que Carmen
c'est espagnol et que Mina c'est allemand. Tout cela lui
paraît de plus en plus louche. Son devoir de soldat le
tracasse d'autant plus que la bouche et la voix et le corps
de cette fille lui paraissent plus troublants. Elle fait
exprès d'en jouer, il le devine. Sous prétexte de garder
l'équilibre, elle fait bouger son cou délicat de droite et
de gauche, elle cambre les reins, elle remue les hanches,
elle ouvre les cuisses. La méfiance du garçon s'accroît en
même temps que son désir.

Ensuite, il se prend à penser que la situation pourrait
se retourner à son avantage, et à son honneur de soldat.
Ne serait-il pas légitime, en effet, d'utiliser sa propre
prestance pour essayer d'en savoir plus long sur la
trahison dont on accuse sa prisonnière ? Celle-ci pourrait, séduite, lui confier bien des secrets, et même — qui

sait ? — des secrets militaires ennemis fort utiles à notre état-major. Après avoir longuement mûri sa question, il commence, un peu moins revêche :

« Tu parles des hommes. Tu les aimes, à ce qu'il paraît ?

— Oui, à l'occasion, s'ils sont grands et forts, et jolis garçons, comme toi ! »

Le timide cavalier se sent rougir jusqu'aux oreilles, comme seuls les blonds peuvent le faire. Il en est furieux contre lui-même et, par ricochet, contre Mina. Ce n'est pourtant pas la première fois qu'une garce lui adresse ce genre de compliment. Cette jeune sorcière le troublerait-elle plus que toute autre ? Il cherche une réplique cinglante pour la punir et ne trouve qu'une balourdise :

« Toi, tu n'es pas si jolie que ça, tu sais.

— Alors ça n'était pas la peine de rougir comme un puceau ! Et puis tu n'en sais rien : tu ne m'as pas encore vue toute nue, Joli-Cœur ! qui voudrait qu'on l'appelle Pierre ! »

Cette fois, le malheureux brigadier devient plus écarlate que son pantalon d'uniforme. Ainsi son véritable prénom, et même son surnom, auraient déjà fait le tour du village ? C'est vrai que cette fille est un démon !

Ils avancent sans se regarder. Une mauvaise humeur tenace s'installe entre eux. Autour d'eux, pourtant, la magnifique journée se confirme. Il fait presque chaud, à présent. Les feuilles mortes jaunes et rousses, en tapis humide sur le sol, sentent l'automne, le sous-bois, la mousse brune et le petit champignon musqué. Au bord du chemin, la fauvette bavarde continue son manège.

« J'ai envie de faire pipi », annonce soudain l'adolescente.

76

Allons, bon! pense Cœur Simon. Est-ce qu'elle se moque tout à fait de moi ?

« Pisse dans ta culotte », répond-il tout bas, avec hargne. Mais il a honte aussitôt de sa goujaterie.

« Tu essaies de m'humilier, je le vois bien, dit Carmina sur un ton de véhément reproche. Je raconterai tes cruautés inutiles au juge militaire, dès notre arrivée au bourg. Et tu seras fusillé, comme le règlement l'exige. »

On dirait une enfant, qui menace d'aller se plaindre à sa mère des agaceries d'un petit camarade. Puis, après un silence, de nouveau douce et charmeuse, et même avec des intonations troubles, nettement sensuelles, comme s'il s'agissait d'un tendre aveu, elle reprend :

« Je t'en prie, Jean-Cœur. Les filles ne font pas ça debout, tu sais bien. Et je ne peux même pas m'accroupir, tant ce pantalon me serre, avec mes mains enchaînées et les cahots de la charrette. Arrête le cheval. Aide-moi à descendre. Et ça ne sera pas long. »

Le cavalier Simon pèse le pour et le contre, sans savoir à quelle résolution se fixer. Rien de tout cela n'est prévu dans les stricts règlements qui sont imprimés en caractères minuscules aux dernières pages de son livret militaire, à la couverture vert-jaune déjà usée, où presque tous les paragraphes se terminent par les mots en capitales : « Mort et dégradation ». Le sentant perplexe, la sirène brune poursuit son chant :

« Avec ces menottes qui m'entravent, tu n'as vraiment rien à craindre : il n'y a aucun risque que je t'échappe. On ne court pas bien vite avec les bras liés derrière le dos. Et même, s'il faut te rassurer davantage, tu pourras prendre les guides en cuir du cheval pour me tenir en laisse pendant que je fais pipi, comme si j'étais ta petite chienne. »

Cœur Simon se sent tout embrasé (physiquement, je veux dire, la chaleur de son visage gagnant à présent son ventre) à cette évocation qu'il estime pourtant aussi saugrenue qu'inconvenante. Il s'est souvenu brusquement d'une scène de sa propre adolescence, pas si lointaine, et d'une fillette qui s'appelait Angèle et s'amusait, avec la complicité de Corinne, à exciter les garçons, aux beaux soirs d'été ou pendant les vendanges. Mais, bien vite, il revient à son cas de conscience. Rien ne prouve, après tout, que cette jolie fille soit coupable. On l'accuse sans preuve, les gendarmes le lui ont dit. Et, de toute manière, les conventions internationales obligent à traiter humainement les prisonniers, donc sans doute aussi les prisonnières...

« Dépêche-toi », supplie humblement celle-ci, d'une voix vaincue, en dansant d'un pied sur l'autre.

Simon prend soudain sa décision. Il crie « Ho ! » et le vieux cheval gris ne se le fait pas répéter une deuxième fois. Le cavalier arrête sa propre monture d'un raidissement des rênes et saute à terre vivement. Sans un regard au fugitif sourire de triomphe qui passe sur les belles lèvres de Carmina, il va détacher du mors les guides inutiles, qui pendent lâchement nouées au brancard droit de l'attelage. Il fait ensuite sauter les goujons à l'arrière du tombereau. Le panneau de bois bascule vers lui.

Avant même qu'il n'ait eu le temps de réfléchir à la suite des opérations, Mina se jette dans le vide et atterrit contre sa poitrine. Dans un geste réflexe, pour qu'elle ne se brise pas les os en tombant sur la chaussée, Simon la reçoit au vol entre ses bras et la retient un instant sur son cœur, les deux mains serrées autour de la taille fine et souple. Puis, sans trop se hâter, il laisse doucement glisser son frêle fardeau le long de sa tunique. Mais, au moment où les petits pieds vont atteindre le sol, et tandis qu'il se penche sur elle pour la soutenir jusqu'au bout, voici que la sorcière lui lèche la bouche au passage, en frottant délibérément ses cuisses fermes et son pubis contre le ventre ému du soldat, s'agitant comme si elle cherchait à toucher terre avec la pointe de ses chaussures.

Il la lâche aussitôt, sous l'effet de la surprise et marque un mouvement de recul, ainsi qu'il aurait fait au contact subit d'un fer rouge. Mina dit alors avec lenteur, en fixant l'homme droit dans les yeux, sans sourire :

« N'aie pas peur, je n'ai pas de maladie. Et ça ne comptait même pas comme un baiser. C'était seulement quelques coups de langue soumis d'une jeune chienne reconnaissante. »

Immobile, à la fois brûlant et glacé, Cœur Simon la contemple, les paupières écarquillées, saisi de panique en même temps qu'aspiré par une incompréhensible fascination. Avant la guerre, il voulait devenir prêtre, malgré les railleries de Corinne; et c'était plus sans doute par une terreur religieuse, pétrifiante, irraisonnée, devant la représentation qu'il se faisait — qu'il se fait toujours — du sexe féminin entrouvert, que par un attachement moral ou mystique au dieu des chrétiens. L'espoir d'un refuge sûr, inviolable, la douceur d'un terrier solitaire, l'attiraient vers l'ordination. Il n'y a pas encore tout à fait renoncé. Aussi est-il resté vierge, bien entendu.

Le blouson de Mina s'est ouvert complètement, dans sa chute contre la tunique gris fer aux gros boutons dorés en saillie, qui ont fini de la dégrafer. Elle respire plus vite ; et ses seins tout neufs qui gonflent le chemisier de rayonne — lui-même en partie déboutonné, avec grâce, par une fée judicieuse — se soulèvent à chaque inspiration dans une sorte de halètement. On les devine libres et palpitants sous le tissu soyeux, presque translucide. Leurs petits bouts dressés, au centre d'une aréole brun-rose bien visible, se pressent contre ce voile encore trop lourd comme s'ils allaient le traverser.

Imperceptiblement, Mina s'approche de son gardien aux abois, fragile captive enchaînée qu'une ondulation très légère parcourt à chaque pas menu. Jean-Cœur comprend désormais, sans pouvoir se mentir davantage, que c'est lui la proie, elle le fauve, ou plutôt la femelle du serpent, l'amante dévoreuse, la chauve-souris vampire. Ses narines battent, au centre de sa figure de petit animal sauvage au velours satiné de fruit à peine mûr. Sa chevelure aux boucles en désordre resplendit tout à coup dans un rayon du soleil, éblouissant, qui l'éclaire à contre-jour. La couleur n'en est pas vraiment noire, comme il avait cru d'abord : des reflets rouges (comme si l'on avait entrebâillé les lourdes portes de l'enfer) flamboient en tous sens au sein de la masse mouvante. Les prunelles s'élargissent encore au milieu de l'iris très sombre, pailleté de scintillements d'or roux. Juste à côté, dans le blanc de l'œil gauche, il y a un grain de beauté noir et net, qui est la marque du démon.

La bouche humide, aux lèvres rouges charnues, s'entrouvre de plus en plus, sur des petites dents très blanches, aiguës et bien rangées.

On dirait que cette bouche se tord légèrement,

découvrant davantage les dents sur le côté gauche (c'est-à-dire du côté droit, pour l'observateur aux aguets), comme si la jeune femme s'apprêtait à mordre avec les canines. En même temps, ses yeux se sont plissés, dans un rictus habituel chez les félins (plus, à dire vrai, que chez les serpents ou chez la mante religieuse), qui remonte les narines et resserre le front. Mais l'image fugace, souvent apparue à cet endroit, dans le fouillis des frondaisons fanées aux fleurs incertaines, juste en face du scripteur assis à sa table de travail, l'image sur le papier peint du mur se défait une fois de plus.

Corinthe cependant, sans lâcher son porte-plume-réservoir (dont le réservoir ne fonctionne plus) demeuré en suspens au-dessus de la feuille encore vierge qu'il vient de disposer devant lui, Corinthe s'est passé d'un geste machinal le bout des doigts de sa main libre — la gauche — à la base du cou, sous le col ouvert de la chemise. Ensuite, il abaisse à nouveau le visage vers son bureau et la plume d'or vers la page blanche, pour reprendre le fil de son texte sur un alinéa, dont il marque nettement le retrait. Il écrit :

Une scène ainsi manque à la *Tétralogie,* qui en serait même probablement la scène centrale, celle du retournement. Au cœur de la forêt perdue, où l'oiseau tente en vain de l'avertir, l'innocent Siegfried se livre sans le savoir à la fée Morgane, c'est-à-dire à l'enchanteur Klingsor, qui va d'ailleurs bientôt reparaître sous les traits d'un inquiétant docteur. Car c'est elle, Morgane, qui a suscité sur le chemin du héros candide, en faisant mine de la lui livrer, la fille-fleur au parfum de mousse musquée, dont ont déjà été victimes tant de chevaliers téméraires et sans cervelle : Amfortas, Lancelot, Perceval... Et l'églantine-illusion née du fantasme s'apprête à ravir au garçon sa virginité, pour mieux le vouer ensuite à l'impuissance. Siegfried, émasculé par le vagin à dents, ne pourra pas donner d'enfant à Brunehilde, condamnée elle-même à l'éternelle chasteté, ce qui interrompra définitivement la chaîne de reproduction incestueuse, pour laisser le champ libre à la descendance d'Alberich et de son fils Hagen, l'inasservi.

L'homme libre futur, auquel celui-ci rêve en montant la garde au bord des eaux troubles du Rhin, est à l'opposé même de ce fameux héros positif qui est aujourd'hui devenu, dans le sillage des valeurs bourgeoises vite restaurées, l'idole niaise du monde socialiste bâti par Lénine. Le héros vivant ne peut être que négatif. De toute son énergie vitale, de toute sa vaillance — musculaire (ô Sisyphe !), intellectuelle, érotique — il s'oppose. Tandis que le gentil chevalier de la raison, du bien, de la vertu, champion aveugle du dieu des lois et de la vérité totalitaire, se condamne par là même à l'effacement, l'homme libre futur (ce creux qui toujours m'appelle) se dresse à l'horizon comme un vide géant. Rien, cette écume vierge vers... Sperme du premier viol, qui sera aussi le dernier, dont les coulées blanches se mêlent sur la nacre rose des cuisses au sang vermeil de l'ultime défloration. Le dernier écrivain, mal armé encore, qui en préfigure aujourd'hui l'espoir chimérique, se ressent déjà lui-même comme une faille dans l'ordre des choses : ennemi naturel de la vertu, pourfendeur de sa propre raison, manque d'être au sein de sa propre conscience, abîme trouant soudain la vérité, il est l'absence, il est l'oubli, il est la déroute.

Bien entendu, il ne saurait se contenter, surhomme de sous-préfecture, des petites tricheries mesquines avec l'Eglise ou la bureaucratie. Au contraire il rendra, d'un geste négligent, à Ponce Pilate et à Courteline ce qui leur appartient, une misère. Ce ne sont pas de menus détails qu'il conteste dans tel ou tel système, mais le bien fondé de tout système de sens. Néanmoins, quoique ne projetant guère de remplacer une vérité par une autre (aussi vite oppressive, et mortelle), il sera volontiers communiste contre Franco, juif pour détruire Hitler, catholique en Pologne soviétisée, monarchiste sous la Troisième République.

Mais, par une inavouable rencontre que le bon peuple de gauche lui reprochera toujours, il s'identifie souvent, pour une part au moins et de façon sans doute provisoire, au capitalisme de jungle et donc à l'idéologie libérale la plus réactionnaire. Le capital privé, même atteint de gigantisme et multinational, apparaît là, une fois de plus, comme opposé névrotiquement au capital monopoliste d'Etat, dans la mesure où l'individu qui le détient — ou le contrôle, ou seulement y aspire — se pense lui-même comme détenteur unique du pouvoir capital : l'argent n'est plus pour lui qu'une métaphore médiatrice de la « reconnaissance » hégélienne.

Ici, le comte Henri relève à nouveau son regard vers le papier peint aux visages brouillés et changeants, pour le fixer une fois de plus à cet endroit, juste en face de lui, où se forme par intermittence le sourire énigmatique de Marie-Ange. Puis n'ayant discerné dans le jour qui baisse que des inflorescences douteuses, sans nom et presque sans contours, sous les rares feuillages marcescents des grands hêtres, il reprend son travail, raye le mot « médiatrice », le remplace par un autre mot à la signification voisine, relit sa fin de phrase et poursuit dans la foulée :

L'argent n'est plus pour lui qu'une métaphore objective de la reconnaissance hégélienne : l'or glorieux qui scintille dans les profondeurs glauques du fleuve, dont je m'apprête à forger l'anneau maudit. Ne vous inquiétez donc pas outre mesure, note Corinthe en marge, d'une écriture serrée, encore plus fine que celle noircissant le corps de la page, ne vous inquiétez pas trop pour ces chairs tendres et nacrées, ce charme sensuel des adolescentes, ces gracieux supplices et autres lueurs rougeoyantes de l'enfer, qui vous auront choqué sans doute un peu plus haut, d'autant plus condamnables — j'en conviens — que ces désolantes facilités s'étalent dans des passages où, précisément, la forme du récit se masque un instant derrière le « vraisemblable mimétique » considéré comme innocent par le lecteur abusé. Si bien que celui-ci risque de voir là tout ce qu'il me resterait, en quelque sorte, d'humain.

Eh bien, non ! La situation est tout autre. Dans cette lutte à mort, tous les matériaux sont bons à prendre, à condition d'en pervertir l'arrangement : l'adjectivité la plus sirupeuse aussi bien que la géométrie plane. Pour faire reconnaître bon gré mal gré comme dernier texte son texte impossible, les heurts dialectiques apparaissent comme l'arme la plus sûre du dernier scribe. La dialectique a bon dos, dites-vous ? D'accord ! Engageons des paris et revoyons-nous dans cinquante ans. J'en aurai alors cent quinze, est-ce que ça vous suffit ? Contrairement à l'homme désirant le désir de l'autre, le romancier a en effet le droit de tuer son lecteur. D'autres lecteurs viendront prendre la relève, pour le reconnaître, à travers tous les siècles des siècles. Car, paradoxalement, il n'y aura pas de dernier lecteur.

Hypertrophie démesurée de l'ego, révélation de soi-même comme figure du seul sur-moi possible, incapacité fondamentale à communiquer avec autrui, désir meurtrier à tous les niveaux, tel est le signalement déplorable du dernier écrivain, qui poursuit :

Après avoir vainement recherché les plans qu'on devait lui remettre, en interrogeant tous les responsables qu'il a pu joindre au village de V., le capitaine de Corinthe est parti au petit trot, en désespoir de cause, sur les traces du cavalier Simon, maugréant contre les incohérences dont fait preuve le commandement, dans ce bataillon du moins. Il n'a même pas pu découvrir qui avait donné l'ordre au brigadier d'emmener la jeune Carmina. Le plus surprenant est qu'un médecin major en tournée qui porte le nom de Morgen (que venait donc faire un médecin dans cette histoire ?) semble avoir joué ici un rôle déterminant : c'est lui qui aurait pris l'initiative, au moment de sa capture, de faire remettre séance tenante la suspecte, pour interrogatoire, entre les mains d'un officier de renseignement d'échelon supérieur, c'est-à-dire au siège de la brigade. Quelqu'un d'autre aurait ensuite accompli la décision en désignant le convoyeur. Peut-être, d'ailleurs, était-ce dans le seul but d'éloigner la petite d'une population en furie qui menaçait de la lyncher.

Toujours est-il que Simon, pendant ce temps, a pris dans la forêt des Pertes une avance notable ; et la route paraît longue au capitaine, comme à son ordonnance qui le suit. La lenteur prévisible d'un tombereau sans charretier leur avait donné l'espoir qu'ils rattraperaient très vite le soldat escorteur. Mais ça n'est pas du tout le cas. Comme leur chemin, qui sinue à travers bois sur un terrain devenu plus accidenté, s'est divisé à plusieurs reprises et a croisé d'autres voies, de même importance ou presque, l'officier se demande s'ils ne se seraient pas trompé de direction (eux-mêmes, ou bien le cavalier à la charrette avec sa prisonnière) à quelque embranchement ou carrefour, en l'absence de tout panneau indicateur.

Cette forêt a mauvaise réputation dans le pays : les gens du village, en leur indiquant la route à suivre, n'ont pas manqué de mettre en garde les deux dragons contre les multiples erreurs possibles. Le nom de « Pertes », disaient-ils, proviendrait d'ailleurs de l'extrême facilité avec laquelle le voyageur s'y égare, quand il ne connaît pas les lieux parfaitement. Des bûcherons, qui pourtant travaillaient ici chaque saison, depuis des années, se seraient même perdus dans un de leurs secteurs familiers, où ils ne reconnaissaient plus rien tout à coup, comme sous l'effet d'un sortilège, et ils avaient erré ainsi pendant plusieurs jours, croyant avancer tout droit mais repassant sans cesse aux mêmes points, revenant alors en arrière et tournant en rond de nouveau ; presque morts d'épuisement et sur les bords de la folie, ils ne devaient en fin de compte leur salut qu'à un tout petit oiseau chanteur, une fauvette à tête rousse, qui, se posant de branchette en branchette devant eux et se retournant pour les appeler quand ils hésitaient à la suivre, les aurait ainsi ramenés jusqu'à leur campement, dont ils étaient inexplicablement proches. Le capitaine, évidemment, devant son ordonnance parisien, n'a pas voulu accorder le moindre crédit à ces légendes.

Une chose, néanmoins, l'inquiète : depuis un certain temps déjà, il n'a plus aperçu les traces du tombereau. Pourtant, le sol mal empierré des chemins forestiers, sans être gorgé d'eau puisqu'il n'a pas plu durant presque une semaine, demeure en tout cas suffisamment humide pour que l'empreinte des roues garnies de fer y reste marquée, au moins par endroit. D'autant que l'absence du plus faible vent, une fois tombée la légère brise qui a chassé la brume au lever du jour, interdit que de nouvelles feuilles mortes aient effacé déjà le discret sillon laissé par les bandages métalliques.

Une étrange paix règne à présent dans le sous-bois. On n'entend plus du tout les bruits, même lointains, de la canonnade, nettement perceptibles ce matin, à travers la plaine, et qui par moment semblaient redoubler d'intensité. On dirait que les oiseaux eux-mêmes se sont tus, qui pourtant, il y a moins d'une heure, pépiaient encore gaiement vers la cime des arbres, dans le joli soleil de ce faux printemps. Ses rayons dorés, qui filtrent en faisceaux saint-sulpiciens à travers les branches, devraient en principe permettre aux deux dragons de s'orienter. Malheureusement, la route est vite devenue trop sinueuse, entre les mamelons, les rochers, les ravines ; il aurait fallu prendre la précaution, dès le départ, de se fixer un cap pour l'ensemble du parcours et noter ensuite chaque infléchissement avec précision...

A cause, sans doute, de cet à demi inquiétant silence qui les enveloppe, Corinthe, dont l'oreille tendue guette l'éventuel grincement d'un essieu de charrette, devant lui, perçoit maintenant, sur sa droite, un choc régulier, périodique, assez rapide, qui pourrait correspondre à la cognée d'un bûcheron... Non, c'est un bruit plus clair, plus proche aussi, et moins lourd, ressemblant davantage à des claquements de mains... Ça ne pourrait guère, en tout cas, être produit par le bec d'un pivert ou par quelque autre animal sauvage, et Corinthe songe un instant à quitter la route pour s'aventurer à travers bois, rejoindre cet homme qui travaille et lui demander s'ils vont toujours dans la bonne direction. Mais il n'en fait rien, ayant aussitôt réfléchi aux graves inconvénients d'un tel détour : ne risque-t-il pas de se perdre cette fois tout à fait, pour peu que le son ne provienne pas des abords immédiats, ce dont il est fort difficile de juger ?

Quelques pas plus loin, il change d'avis à nouveau, et cela pour une raison presque inavouable, serait-ce à soi-même : sur sa droite, à une vingtaine de mètres environ, un petit oiseau solitaire à tête rousse s'est mis soudain à babiller. Sa chanson est discrète, fragmentée sur quelques notes incertaines aux allures dubitatives, ou nostalgiques, ou sans espoir, ou bien seulement distraites. Mais, en dépit des blancs variables qui trouent comme au hasard la brève mélodie, c'est toujours plus ou moins la même phrase qu'il répète, et cette constance, inhabituelle chez la fauvette brune, paraît troublante à l'officier breton, accoutumé dès sa plus petite enfance à recevoir des signaux codés, venus de l'au-delà. Il arrête son cheval, il écoute encore. Il dit à son compagnon, qui vient de faire halte à son tour :

« Entends-tu ce bruit de hache dans la forêt ? Attends-moi ici. Je veux aller voir s'il y a quelqu'un qui pourrait m'assurer que nous sommes sur la bonne route.

— Oui, mon capitaine », répond seulement l'ordonnance, sans se permettre de commentaire sur l'origine discutable d'un son, que même un citadin ne pourrait confondre avec celui d'une cognée entamant la base d'un fût, pas plus qu'avec la serpe de l'élagueur.

Corinthe écoute, lui, le refrain toujours semblable de l'oiseau, qui a pris cependant un peu plus d'ampleur, comme s'il était conscient désormais de l'attention qu'on lui porte. Mais toute la bonne volonté de l'auditeur reste insuffisante pour trouver dans les sonorités de ce langage musical une ressemblance quelconque avec des syllabes humaines, aussi bien en français qu'en allemand. Il dit :

« Si j'appelle une fois, crie à ton tour. Et je me guiderai sur ta voix pour te retrouver. Si j'appelle plusieurs fois de suite, viens aussitôt me rejoindre.

— Oui, mon capitaine », répète le cavalier peu enclin au bavardage et qui n'a guère l'habitude, apparemment, d'échanger des réflexions personnelles avec son chef.

Aussitôt qu'Henri de Corinthe s'approche du frêle messager à l'incompréhensible message, celui-ci s'envole et va se poser vingt mètres plus loin, dans la direction d'où semble arriver ce bruit de mains qui claqueraient avec vigueur l'une contre l'autre. Sans attendre, tourné de nouveau vers l'officier qui le suit, l'oiseau reprend son insistante interrogation, ou sa mise en garde, ou son appel... Le sol est assez commode, quoique plutôt mou, et même un peu spongieux par endroit ; il s'élève en pente douce. Les vieux hêtres ont l'avantage d'interdire à leur pied toute végétation, hormis les mousses, comme aussi de n'avoir presque plus de branches basses. Le cheval blanc, sur l'épais tapis de feuilles rousses qui s'enfoncent sous les sabots, gravit la faible déclivité sans grand mal.

Vingt mètres encore et le comte Henri soupçonne à présent que ces claques répétées proviendraient du battoir de quelque lavandière, frappant du linge humide avec entrain. On croirait d'ailleurs, trente pas plus loin, qu'un murmure d'eau vive est également perceptible, constituant pour la scène imaginée un fond sonore adéquat, et fortifiant ainsi la nouvelle hypothèse du cavalier. Aux alentours, il n'y a pourtant aucune trace de ruisseau, et le terrain monte toujours jusqu'à de gros rochers gris où la fauvette vient d'atterrir, pour inlassablement recommencer ses mêmes sept notes, sur un rythme de plus en plus assuré.

Mais voici qu'une mélodie humaine — et sans aucun doute féminine — s'élève soudain, toute proche, scandée par les coups du battoir et se mêlant au chant de l'oiseau. C'est même une fort jolie voix, jeune, fraîche, fruitée, câline, avec des douceurs de velours en *mezzo forte,* des murmures de gorge à peine audibles, des reprises passionnées, des modulations tendres, des résonances chaudes et profondes dans les notes basses. Corinthe s'est arrêté, stupéfait par cette présence immatérielle et miraculeuse. On entend une fille qui chante, à cinq ou six mètres tout au plus, mais elle demeure invisible ; on entend l'onde qui ruisselle et la palette de bois qui frappe en cadence les chemisettes de lin blanc, roulées en boule lâche, mais il n'y a ni torrent, ni filet d'eau, ni lavoir ; on entend toujours la fauvette rousse, mais elle a disparu, perchée là-haut sans doute parmi les branchages, où elle se confond avec les dernières feuilles cuivrées des hêtres aux rameaux d'argent.

Dans une lumière blonde improbable en cette saison, artificielle ou féerique, l'impression d'immobile sérénité quasi surnaturelle est encore accrue par le majestueux décor de haute futaie, pittoresque et rocheux comme sur un tableau du XVIIIe siècle, Hubert Robert ou Jean-Baptiste Huet, ou peut-être Corot peignant cinquante ans plus tard la forêt de Brocéliande. L'ensemble du paysage et de son harmonieux accompagnement paraît d'autant plus irréel que la guerre en est absente et n'y a pas laissé la moindre trace, comme si ces lieux magiques avaient été oubliés par les combats, oubliés par l'histoire, oubliés par le temps.

Corinthe écoute, enchanté lui-même. Les paroles de l'étrange mélopée ne sont pas en français, non plus d'ailleurs qu'en allemand. Elles s'apparenteraient davantage à un dialecte espagnol d'Andalousie, ou même à de l'arabe. Quant à l'air, il pourrait à la rigueur être gitan, peut-être berbère, marqué par d'abruptes variations de niveau et par des silences subits où la mélodie demeure tout à coup en suspens, pour reprendre de façon aussi brusque après plusieurs secondes d'attente anxieuse — où l'on craignait que tout ne soit fini — sur une violente attaque, fiévreuse, déchirée, à une hauteur très différente. On dirait par moment qu'il y a deux chanteuses qui concertent, tant est troublant le mélange de tendresse amoureuse et de sensuelle sauvagerie.

La fauvette s'est tue, comme étourdie elle aussi par la beauté du chant. Et les heurts du battoir ont cessé. Bientôt la complainte à son tour s'achève, dans le seul bruissement de l'eau. Henri de Corinthe, au milieu du silence qui suit, grimpe vers le sommet de l'éminence et s'avance jusqu'au roc tourmenté où s'était posé le minuscule messager pilote. En même temps, il cherche à reconstituer la ligne musicale d'une sorte de refrain, ou plutôt de leitmotiv qui revenait à l'improviste, sous diverses formes, dans les accents nostalgiques qui l'ont à l'instant charmé. Voulant retrouver la voix de l'impalpable lavandière, Corinthe se heurte au souvenir de l'oiseau, dont la rengaine lui paraît soudain avoir reproduit les mêmes intervalles. Malheureusement, au lieu de se préciser, cette intuition fugitive disparaît aussi

91

promptement qu'elle avait jailli à son incertaine mémoire ; et l'auditeur oublieux est ensuite incapable, non seulement de reproduire, mais aussi d'entendre à nouveau dans sa tête le moindre fragment de mélodie, sifflé par la fauvette ou chanté par la fille, doublement absente désormais.

Il fait exécuter une courte demi-volte à son cheval, aussi doucement qu'il peut, tant il demeure impressionné par ce qu'il vient d'entendre, comme s'il avait peur de déranger quelque cérémonie païenne, quelque mystère interdit, ou la fée Morgane elle-même. Il découvre alors, évidant le faîte, une cuvette escarpée que les rochers jusqu'à présent dissimulaient à sa vue. Creusée par un ruisseau en partie souterrain qui la sculpte depuis des millénaires, la dépression, bordée d'une arête calcaire formant un cercle parfait, est large de sept ou huit mètres, profonde environ de la moitié. Corinthe s'approche aussi près du bord que l'autorise la sécurité de son cheval (et la sienne propre). Penché de biais sur sa selle, il ouvre de grands yeux vers le spectacle qui s'offre à ses pieds.

Une source jaillissante sort de la paroi concave, à mi-hauteur, et rebondit entre les roches jusqu'à un bassin de forme ovale, dont les dimensions sont celles d'une grande baignoire, qui occupe le fond du trou. L'eau en est claire, légèrement bleue et, dirait-on, lumineuse. Elle s'écoule ensuite parmi les pierres arrondies, plates, polies par l'usure comme des galets géants, pour bientôt s'engouffrer dans une faille, et reparaître sans doute un peu plus loin sur l'autre versant du monticule, dont l'aspect général fait penser à un petit volcan, avec des blocs de lave couronnant çà et là l'orle circulaire du sommet et un lac en miniature au fond du cratère. Juste en face du cavalier, mais cinq mètres plus bas, une très jeune femme se tient à genoux sur le plus gros des cailloux aplatis qui, de ce côté-là, constituent la rive du bassin miroir, sur lequel, immobile, elle se courbe, gracieusement prosternée, peut-être pour contempler son image brouillée par les remous légers de la surface, ou bien pour regarder ses mains qu'elle agite mollement sous l'eau transparente.

Elle est toute vêtue de blanc, dans une toile de lin très fine, immaculée, curieusement estivale : une ample jupe froncée, bouffante, d'où dépassent deux petits pieds nus, et une blouse serrée à la taille dont le décolleté bateau laisse admirer les chairs de la nuque et du cou, lisses, nacrées, ainsi que toute une épaule ronde sur laquelle a glissé l'épaulette de tissu. Sa chevelure souple, noire à reflets roux, s'est renversée sur l'oreille et la tempe, de l'autre côté. Les bras délicats, potelés, sont nus également. On ne voit près d'elle ni linge à laver ni battoir. Et l'eau de cette baignoire naturelle n'est en aucune manière rendue laiteuse par de la cendre ou par du savon.

Probablement la fille a-t-elle aperçu dans son miroir mouvant le reflet du dragon dressé sur son cheval au-dessus d'elle. Car, très lentement, elle relève son visage vers le haut de la crête, et elle sourit sans aucune gêne à ce séduisant garçon, en uniforme de bonne coupe. Elle est encore plus jeune qu'il ne pensait : à peine sortie de l'adolescence. Ses boucles molles, dans le mouvement onduleux du torse, se sont arrangées d'elles-mêmes en un désordre fort seyant. Elle a de grands yeux d'un bleu très sombre pailleté d'or, d'une innocence provocante, avec un grain de beauté net et noir, dans le blanc de la cornée, juste à côté de l'iris gauche.

Les narines de son nez délicat palpitent doucement. Deux lèvres humides, disjointes, rendent sa bouche rouge et charnue encore plus désirable. Ses joues roses ont le velouté de satin des fruits à peine mûrs.

Elle a l'air d'un petit animal sauvage surpris dans son nid. Mais on peut croire au contraire qu'elle vient de se mordre la bouche, tout exprès, pour accroître encore un pouvoir de séduction dont elle connaît déjà tous les ressorts. Lui rendant son sourire, à tout hasard, pour ne pas effrayer l'apparition dans le cas où elle serait malgré tout craintive, Corinthe demande :

« C'est toi qui chantais ?

— Si ce n'était pas une fauvette, répond-elle sans se troubler, ça devait en effet être moi, puisqu'il n'y a personne d'autre ! »

La tessiture vocale est d'ailleurs bien la même, chaude, sensuelle, plus émouvante encore dans les tonalités basses. Elle parle sans élever la voix, avec des inflexions intimes, des passages secrets. Mais cette crypte de rochers au fond de laquelle l'improbable jeune fille se trouve — où, peut-être, elle s'écoute volontiers — amplifie les sons et accroît leur présence, ce qui a trompé tout à l'heure le cavalier sur la proximité de leur origine. Il reprend :

« C'était une bien jolie chanson, mais en quelle langue étrange est-elle écrite ?

— Je ne sais pas, beau capitaine. C'est ma mère qui me l'avait apprise, quand j'étais gamine. Elle venait de très loin, et mon père aussi, m'a-t-on dit..., des côtes marocaines ou du Portugal... Il est trop tard à présent pour leur demander... Ou bien encore de Turquie...

— Ça n'est pas la même chose » dit Corinthe, qui

94

pense au récent engagement de la Porte ottomane aux côtés des Empires centraux.

Mais il n'ose guère insister dans cette voie qu'il pressent douloureuse, car un voile de tristesse est passé sur la jolie figure de l'adolescente à l'évocation de ce « trop tard ». Elle serait donc orpheline ? Ou quoi d'autre ? Enfant trouvée, enfant volée, enfant perdue, qui ne connaît même pas le pays de ses parents, ni le langage qu'ils parlaient... Ayant maintenant, toujours agenouillée, renversé le buste en arrière, élevant ses bras nus à demi fléchis et cambrant les reins, elle remue pour les sécher, avec des gestes déliés de harpiste, dix doigts effilés, très blancs, qui ne sont en aucune façon ceux d'une lavandière ou d'une fille de bûcheron. Il dit :

« Comment t'appelles-tu ?

— Manrica, mais les gens d'ici trouvent que c'est un nom bizarre, et les charbonniers m'appellent Marie, tout simplement. Manrica, vous ne trouvez pas ça plus joli ? Manrica... »

Elle répète son prénom à mi-voix, presque amoureusement, comme pour mettre à l'épreuve une musicalité dont elle s'enchante. Sa prononciation *mann,* avec un *a* très ouvert, évite tout effet nasal. Et l'ensemble des trois syllabes fait comme un bruit de menue cascade. Mais Henri de Corinthe, tout aussi féru de culture verdienne qu'il l'est — comme nous l'avons vu — de Wagner, pense aussitôt à ce fils de la sorcière jeté par mégarde dans les flammes du bûcher. Ainsi, c'est l'art du trouvère qui fleurissait si passionnément sa cantilène... Comme la petite a retrouvé toute sa gaieté pour, de nouveau, le dévisager avec une candeur hardie, il demande, rêveur :

« Ta mère était-elle une fée ?

— Toutes les mères sont des fées, ne le saviez-vous

pas, beau chevalier ? Comme toutes les filles sont des sorcières ! »

A l'appui sans doute de cette assertion mutine, elle exécute avec une agilité d'escamoteur, entre son visage offert et le regard masculin qui la couve, une série compliquée de passes arrondies mettant en jeu les doigts, les poignets, les coudes, comme en accomplissent au Proche-Orient les danseuses du ventre, ou les bayadères, mais aussi bien les enchanteurs dans leurs invocations magiques et leurs sortilèges. A l'abri de cet écran mobile, elle minaude des sourires plus caressants et des œillades prometteuses. Malgré ses airs peu farouches, il reste néanmoins difficile de décider si elle se propose vraiment, ou si seulement elle se moque. Corinthe préfère ne pas brusquer les choses.

« Que fais-tu donc là toute seule, dit-il, au milieu de la forêt ?

— C'est la chambre secrète où je lave mes affaires.

— Quelles affaires ? Je n'aperçois rien, ni dans l'eau ni au bord.

— Mais si ! Je viens juste de rincer ma robe, comme vous voyez ! »

Tout en proférant cette peu convaincante réponse, elle saute sur ses pieds dans un souple bond de ballerine. Puis elle effectue à l'adresse du dragon toujours en selle une charmante révérence de cour, en écartant à deux mains les côtés du tissu à fronces. De toute évidence, elle ment avec effronterie : sa blouse lâche, ainsi que la jupe à large ceinture ajustée qui l'enserre, sont blanchies à neuf, c'est certain, mais parfaitement sèches et déjà repassées. Curieusement, il n'y a même aucune marque grisâtre, aucun froissement de la toile, à l'endroit où les genoux reposaient contre la pierre.

Sans s'attarder sur ces contradictions bizarres, Corinthe s'émerveille de la svelte silhouette digne de Mignard ou de Greuze. Sa taille est d'une finesse rare (elle tiendrait à l'aise entre les deux mains du soldat), mise il faut dire en valeur par des hanches bien galbées, la douce saillie du ventre, le creux des reins, les courbes tendres de ses fesses. La minceur des chevilles et le bas de la jambe laissent deviner des cuisses sans lourdeur. Sous la gorge et les épaules nues, sa jeune poitrine gonfle le corsage, qui, du côté droit où l'emmanchure tombe, dégage le pertuis douillet d'une aisselle et la naissance du sein.

« Et, si vous n'étiez pas là, ajoute l'adolescente qui se devine dévêtue par ces yeux d'expert en train de la détailler, je me mettrais à présent toute nue pour prendre mon bain.

— Dans cette eau glacée ?

— L'eau n'est jamais froide ici, bien au contraire ! C'est une source chaude qui sort du rocher. Même, ou la voit fumer par temps de gel. Venez vous baigner avec moi et vous verrez bien... »

L'ordre des opérations, telles que les décrit la jeune fille, est en tout cas totalement absurde. Pourquoi s'être ainsi rhabillée entre le prétendu lavage de ses vêtements et les ablutions personnelles qu'elle propose sans vergogne de partager ? Tout désireux qu'il soit de la voir faire ainsi sa toilette intime, et même de l'y aider, Henri de Corinthe commence à ressentir quelque méfiance, à flairer quelque piège où il est sur le point de tomber.

« Tu es bien loin de ton village, dit-il dans l'expectative.

— De quel village parlez-vous ? Il n'y a pas de village par ici. J'habite avec les charbonniers, à deux cents mètres (elle a un geste vague vers l'arrière). N'avez-vous pas entendu, en arrivant, les coups de hache d'un bûcheron qui abat le taillis ? Mais il n'y a plus que des vieux, maintenant. Tous les vrais hommes sont à la guerre...

— Et toi, tu n'as pas peur ?

— Peur de quoi ? Peur de vous ?

— Non, pas de moi, bien sûr, peur de la guerre !

— Oh, la guerre... Elle va, elle vient, ce n'est pas notre affaire. Et les corps-à-corps à la baïonnette, ça ne présente pas grand danger pour nous autres spectateurs. »

Cette appréciation scandaleusement frivole des multiples et meurtrières attaques ou contre-attaques qui ont eu le Pertois pour cadre après la victoire de la Marne, c'est-à-dire au cours des dix dernières semaines, accroît encore la perplexité du capitaine de Corinthe, qui paraît tout à coup se réveiller d'un rêve.

Que fait-il donc à badiner ainsi avec une fillette galante et menteuse ? Et depuis combien de temps ? Alors qu'il était chargé d'une mission urgente. Il a l'impression d'avoir perdu toute notion de la durée, dès l'instant qu'il a entendu la voix de cette Manrica éminemment suspecte, qui essaie de le séduire pour l'entraîner Dieu sait où... Le diable sait où, plus exactement. Ne serait-elle pas une espionne, elle aussi ? Peut-être une complice de l'autre jouvencelle précoce que l'on vient d'arrêter, dont le cavalier Simon avait la garde jusqu'au poste de Suippes ? Ne dit-on pas justement que les Allemands utilisent dans ce secteur, où lés lignes sont relativement perméables, des jeunes bohémiennes recrutées en Belgique et dressées à faire du renseignement ? Celle-ci en tout cas, dans son maintien comme dans son élocution, a davantage l'apparence d'une écolière de la ville que d'une sauvageonne élevée par des charbonniers.

Corinthe se passe la main sur le visage, à plusieurs reprises, comme s'il cherchait à défaire un charme qui engourdirait ses sens. Manrica, très sensible probablement aux variations d'humeur chez ses partenaires, s'est aussitôt refermée sur une expression de sérieux, et même d'inquiétude.

« N'as-tu pas aperçu, lui dit-il, ce matin dans la forêt, un dragon chevauchant sur la route près d'un tombereau de fermier où se tenait une fille de ton âge ?

— Vous oubliez qu'on ne voit pas la route, du fond de cette fosse où, depuis des heures, je suis prisonnière. »

Son ton a changé du tout au tout. D'enjôleur et sans doute bientôt lascif, il est d'une façon subite devenu apeuré, suppliant, presque pitoyable ; mais avec toujours, cependant, un soupçon d'apprêt, de comédie...

« Prisonnière, dis-tu ? Je croyais que c'était là ton lavoir personnel et ta salle de bains ?

— Ne vous moquez pas de moi, vous avez tout de suite vu que je mentais : je n'ai ni savon ni battoir et ma robe est aussi sèche que votre vareuse. Voulez-vous connaître ma triste histoire, la vraie ? Pour allumer le fourneau de la cuisine, je suis sortie de chez ma mère au lever du jour et je me suis mise à ramasser du bois mort. La maison était encore en vue, entre les troncs verticaux des grands hêtres, quand un uhlan noir a jailli du sous-bois. Avant que j'aie eu le temps de réagir, ou seulement de comprendre ce qui m'arrivait, il m'a enlevée sur son cheval et m'a emportée au galop jusqu'ici, où il a mis pied à terre sans lâcher prise (il me tenait sous son bras gauche, passé autour de ma taille, comme une poupée de chiffon), trop loin désormais de toute habitation pour que l'on puisse entendre mes cris et mes pleurs. Alors il m'a mise à genoux, la poitrine courbée sur une souche, mes mains immobilisées derrière mon dos par sa poigne de fer, et il m'a violée d'une horrible façon, qui outrageait la nature en même temps que mon innocence... Ensuite, il m'a jetée dans ce trou, d'où je ne pourrai jamais sortir, tant les parois sont abruptes. Cette nuit, les loups vont venir boire à la fontaine et ils en profiteront pour me dévorer vivante ; ils commencent toujours, m'a dit mon bourreau, par mordre les fesses et le bas du ventre et l'intérieur des cuisses, là où les chairs sont si tendres et sensibles. Je vous en supplie, aidez-moi à remonter et ramenez-moi jusqu'à ma chaumière. Je peux à peine marcher, tant je souffre de ma blessure. »

La jeune inconnue est de plus en plus véhémente, fiévreuse, éplorée, sans rien y perdre d'ailleurs d'une séduction — peut-être même encore accrue — dont elle vient seulement de changer le registre, nettement orienté à présent vers les goûts du divin Marquis. Ses belles lèvres tremblent et s'entrouvrent davantage, ses yeux bleus pailletés d'or se sont encore élargis — mais d'angoisse — à l'évocation des tourments passés et à venir qui constituent désormais son malheureux sort. Les vraies larmes qui font briller son regard commencent à couler sur ses joues au velouté de fleur. Ses mains blanches se tordent de désespoir tandis qu'elle implore pitié.

Cependant son jeu théâtral, comme le langage très

littéraire de ses aveux, accentuent leur excessive invrai-
semblance : on dirait Justine racontant ses infortunes à
un supposé sauveur qui deviendra dans deux ou trois
pages son nouveau tortionnaire. En fait, aucun élément
de son récit ne tient debout. On ne récolte pas le bois
tombé dans la rosée du matin. On ne revêt pas pour ce
genre de corvée une fragile robe en lin blanc, demeurée
d'ailleurs impeccable après tant d'assauts et de chutes.
Ce uhlan aux exploits de centaure devait plutôt être un
voltigeur cosaque, pour réussir un tel enlèvement sans
descendre de sa monture. Il aurait aussi bien pu demeurer en selle et procéder au petit trot à ses hypothétiques
pénétrations ! Comment, du reste, un cavalier allemand
pouvait-il se trouver à une telle distance derrière notre
actuelle ligne de front et y butiner ainsi à son aise ?

« En quelle langue, demande Corinthe sans trop
s'émouvoir, ton cruel lancier a-t-il proféré ses menaçan-
tes prédictions concernant ton supplice final ?

— Il parlait un peu de français, mais avec un accent
affreux. Et il riait à pleine gorge en me regardant pleurer
au fond de mon cachot, où je croyais déjà ressentir ces
tortures de ma mort prochaine qu'il détaillait avec
complaisance, ajoutant toutes sortes de précisions
odieuses que je comprenais mal et que je n'oserais pas
répéter, blessant ma pudeur avec férocité avant de livrer
mes chairs les plus secrètes aux déchirures et aux
arrachements...

— Mais pourquoi les charbonniers ne sont-ils pas
venus à ton secours ?

— Vous savez bien que charbonniers et bûcherons
ont quitté depuis plusieurs mois leurs campements, d'un
bout à l'autre de ces forêts perdues.

— Et ta maison, où est-elle ?

— Loin, très loin d'ici, à la limite des prairies. La hêtraie arrive, sur l'arrière, jusqu'à notre jardin... »

Elle indique de la main une direction approximative qui semble correspondre plus ou moins à celle du village de V., par où le capitaine a lui-même abordé la forêt des Pertes, sur les traces du brigadier Simon. Il demande :

« Pourquoi donc ne m'as-tu pas raconté cela tout de suite, au lieu d'inventer d'aimables sottises ?

—Parce que j'avais honte, évidemment, devant le bel officier qui arrivait là par miracle, pour me secourir !

— Ta robe blanche ne conserve guère l'empreinte de tes brutales mésaventures.

— Bien sûr, puisque je viens de laver les taches, comme je vous ai déjà dit. Elle était toute souillée de sang. »

Corinthe réfléchit quelques instants, ne sachant pas quelle décision prendre. Ce blanchissage partiel n'est guère plus crédible, vu la netteté parfaite de la toile et son visible glaçage au fer chaud. Il faut d'autre part admettre que la pente des rochers, tout autour de la cuvette, est en effet bien raide, et malcommode pour les faibles pieds nus d'une demoiselle. Cette absence de chaussure constitue d'ailleurs une énigme supplémentaire : la petite n'est certainement pas sortie dans cet appareil pour récolter un fagot. Et elle pourrait évidemment avoir perdu en route des socques mal ajustées, lors d'une chevauchée à travers bois où son ravisseur la tenait comme un paquet à l'arçon de sa selle. Lui tendre la main à présent ne constitue pas, de toute façon, un engagement bien grave. Mais Corinthe veut auparavant se renseigner sur le chemin à prendre, comme il en avait l'intention lorsqu'il a quitté son ordonnance pour quelques minutes. Il dit :

« Sais-tu de quel côté se trouve Suippes ?

— Bien sûr que je sais ! Je peux même vous y emmener, pour vous remercier d'être tombé du ciel au moment où je perdais courage. Sans cela, vous êtes sûr de vous égarer, au milieu des bifurcations et des croisements, avec une route qui n'arrête pas de tourner sur elle-même. »

Vive à nouveau, elle enjambe d'un saut aisé sa prétendue baignoire, puis elle s'élance de pierre en pierre pour tenter de gravir la pente. Mais celle-ci devient vite trop verticale, et même en surplomb par endroit, sans aucun appui facile, serait-ce pour une chevrette. Parvenue jusqu'à un point où elle ne peut plus continuer, ni sans doute redescendre, elle élève avec confiance sa main droite, haussée au maximum sur la pointe d'un pied, vers son providentiel chevalier servant.

Celui-ci, qui vient de mettre pied à terre, se penche sur le bord du cratère de tuf gris et, non sans quelque difficulté, attrape les doigts menus qui s'agitent au-dessous de lui et l'implorent. Dès que la jeune fille s'est agrippée à sa main, il la hisse au contraire sans le moindre effort, surpris par sa légèreté de rêve qui ne semble pas correspondre au modelé de son corps ; mais il faut aussi convenir que l'extrême agilité de la grimpeuse lui apporte un concours très efficace. Sitôt parvenue en haut, elle se précipite contre la poitrine de l'officier, s'accrochant à son uniforme dans un touchant mélange de gratitude et d'abandon. Sa chair de liane souple, onduleuse, est brûlante de fièvre, ou bien d'anxiété mortelle, du trouble sans issue qu'elle éprouvait, ou encore, à l'inverse, sous l'effet des flammes impures d'un brasier infernal, comme si elle venait d'être rejetée par le volcan...

Pour qui donc est-ce que je raconte tout cela ? Ces images plus ou moins décousues dont j'essaie patiemment de renouer les fils — rompus sans cesse à nouveau — je sais qu'elles viennent d'abord de mon enfance, construites dès cette époque dans ma mémoire à partir des récits fragmentaires et pudiques se rapportant à la terrible guerre, si vivante encore au foyer familial lorsque j'avais huit ou dix ans et sans doute aussi jusqu'à la fin des années 30 (un nouveau conflit franco-allemand prenant alors la relève), récits qui reparaissaient périodiquement à la table du soir, rue Gassendi, quand papa rentrait de son atelier de cartonnage, et qui se mêlaient aux affaires d'espionnage controversées, aux actes de bravoure, aux exploits légendaires rapportés par *l'Illustration* où les accréditaient des gravures couleur sépia à fort effet fantasmatique, comme celle restée célèbre qui montrait le lieutenant-colonel Henri de Corinthe chargeant, quelques années plus tard, sabre au clair à la tête de ses dragons...

Ce serait donc en juin 40, cette fois-là, et non pas pendant la Grande Guerre, même vers la fin, à l'automne 1918, date à laquelle — il me semble — Corinthe n'était encore que commandant. Mais voilà que tout se brouille, une fois de plus, dans ma tête... Mon père est mort depuis plus de dix ans et je ne puis hélas, désormais, confronter avec ses souvenirs personnels, qui déjà s'effaçaient, les fragments auxquels, par une réflexion méthodique et à force de recherches, je tente ainsi de donner quelque cohérence, probablement artificielle, peut-être même frauduleuse...

C'est à nouveau sur mon vaste bureau plat, dit

« élysée », dont le cuir vert olive est devenu gris jaune aux emplacements régulièrement atteints par le soleil, que je travaille depuis mon retour au Mesnil, après dix semaines d'enseignement à Saint-Louis, sur le Mississippi aux eaux boueuses. Nous sommes aujourd'hui le 31 décembre 1986. Dans les grands arbres dénudés, en face de la fenêtre donnant vers le midi (au premier étage), c'est-à-dire celle qui se trouve sur ma gauche à moins d'un mètre de la massive coquille en bronze qui marque le coin du bureau, les corbeaux sont revenus eux aussi pour l'hiver.

Ils doivent être plusieurs centaines à présent et leur vol déchiqueté, dans le vent aux violences soudaines, assombrit encore un ciel d'encre violette. On dirait même que, plus les fermiers des alentours détruisent leurs couvées (avec mon autorisation toujours réticente) en tirant au fusil de chasse dans les nids après l'éclosion des œufs, plus ils sont nombreux la saison suivante. La mort d'une trentaine de gros ormes atteints de graphiose, qu'il a fallu abattre l'année dernière, ne les a en rien découragés. Ils ont fini également par tolérer la présence silencieuse de deux ou trois hérons cendrés qui viennent par périodes, avec leur élégance nonchalante et des immobilités pensives de vieux philosophe méditant sur la différence qu'il y a de l'étang à l'aître, pour pêcher subrepticement quelques kilos de ces jeunes gardons, rouge et argent, qui peuplent les deux pièces d'eau rectangulaires séparant le bois du jardin à la française, dont les pelouses tirées au cordeau et les buis taillés en grosses boules (plus hauts que Catherine, à présent) occupent toute la faible pente — une cinquantaine de mètres environ — devant le perron de la vieille demeure.

Sur le mur intérieur au papier peint tilleul, je vois,

juste en face de moi lorsque j'écris, parmi les guirlandes et palmettes Louis XVI d'un gris très pâle, se détacher, sombre et lumineux, le tableau symboliste que j'ai acheté il y a une vingtaine d'années aux Puces de Clignancourt, pour une somme très modeste. Il est daté de Saint-Petersburg, 1886. La signature proprement dite comporte une majuscule peu déchiffrable, tant son graphisme est compliqué, suivie de quatre ou cinq lettres presque aussi ambiguës ; mais le marchand qui m'a vendu la toile identifiait ce nom sans paraître éprouver le moindre doute, et il tenait fort à m'apprendre qu'il s'agissait là d'un peintre connu, bien qu'au second rang, répertorié dans je ne sais quel catalogue d'exposition ou livre de référence fiable concernant les dernières années du siècle, ce qui du reste m'importait peu.

Le cadre doré, haut d'un mètre ou à peine plus, est assez ordinaire, mais le bâti est monté avec un grand soin. Quant à la peinture elle-même, une huile aux glacis et transparences d'une exceptionnelle finesse avec des précisions de miniaturiste dans le modelé des visages, elle me paraît d'une qualité d'exécution remarquable, surtout sensible dans les traits délicats de la jeune femme, dans les voiles impalpables qui gazent la perfection de son corps sans en rien masquer d'essentiel (le mettant au contraire en valeur), dans la robe blanche et soyeuse du cheval, ainsi que dans le détail de son harnachement raffiné. La boucle étincelante du mors est ciselée comme un bijou.

Le décor représente un paysage de montagne aux lignes tourmentées, rendu plus âpre encore par des roches en accumulations capricieuses et quelques arbres aux allures millénaires (peut-être le genévrier thurifère, qui produisait l'encens femelle), dont les troncs tordus et partiellement détruits par la foudre portent de rares rameaux verts, déjetés, au milieu de branches mortes qui ressemblent à des bois de cerfs géants, ou à des squelettes préhistoriques. A l'arrière-plan, tout en haut de la composition, on aperçoit des cimes abruptes dont les neiges roses brillent, sur le ciel turquoise, dans les rayons horizontaux du soleil couchant. Les personnages sont au nombre de trois, sans compter le cheval qui occupe la place centrale, et l'espace le plus important.

Au premier plan, monté sur ce destrier blanc à crinière blonde qui s'avance au pas de parade en direction du coin gauche de l'image, mais tourne en ce moment précis poitrail et chanfrein vers le spectateur (si bien qu'il montre à celui-ci son œil droit — aux lueurs inquiétantes — au lieu du gauche, un sabot levé paraissant sur le point de franchir le bas du cadre), un fier lancier vêtu de noir et d'argent se dresse dans une attitude rigide, la tête haute sous son casque de cuivre à reflets rougeoyants, surmonté par l'arrogant quadrilatère aux arêtes vives du chapska polonais, la hampe de son arme acérée tenue vers l'avant, par-dessus l'encolure aux flammèches dorées.

Le fer en est souillé de sang frais, qui semble illuminé de l'intérieur, tant il flamboie parmi les ombres du crépuscule. Curieusement, on a même l'impression de voir sourdre le liquide vermeil à la pointe aiguë de l'acier. Plus inexplicable encore est le lambeau de toile fine que retient un gant de fer crispé sur le manche d'ébène, à la main droite du soldat : cela fait penser à quelque pièce de lingerie (féminine ?) arraché à une plaie ; des taches du même rouge, vif et luisant, onctueux, encore humide, maculent en larges plaques sa blancheur de satin.

S'il s'agit là des cruels témoignages d'une blessure toute récente, on ne comprend pas qui serait la victime, car tous les personnages présents, y compris le cheval, paraissent intacts ; du moins, ni leurs corps ni leurs costumes ne laissent-ils deviner la moindre trace d'hémorragie. Sur le flanc gauche de la magnifique monture (c'est-à-dire du côté droit pour le spectateur), mais légèrement en arrière, à la hauteur d'une foisonnante queue traînant jusqu'au sol dont les blondeurs précieuses font penser à celles de la prisonnière elle-même, une très jeune femme marche pieds nus sur le sentier caillouteux qui descend obliquement de la partie droite du vallon.

Elle est tenue enchaînée au troussequin de la selle par son cou élancé à l'arrondi délicat, qu'enserre un rude collier de cuir noir, comme on en utilise pour attacher les chiens. Ses mains ne sont pas visibles, liées ensemble derrière son dos par d'autres chaînes, selon toute vraisemblance. Les voiles légers qui l'enveloppent, sans dissimuler ses charmes à la fragilité de porcelaine, flottent autour d'elle ainsi que des pans de brume. Dans la brise du soir vole aussi sa longue chevelure d'or pâle, dénouée, dont une fine mèche sinueuse et translucide barre un des grands yeux verts et la tendre bouche rose, entrouverte, peut-être sur une plainte désolée ou un gémissement de douleur contenue. Roses également sont les pointes des seins et leurs aréoles, que l'on distingue avec précision sous la trame de gaze, rehaussant l'éclat des deux globes nacrés qui les portent ; et d'un blond rose aussi est le triangle duveteux en haut des cuisses, où le tissu immatériel se plaque un instant sous l'effet d'un souffle d'air indiscret. Avec un peu d'imagination, il est même facile de deviner sa fente secrète entaillant l'angle inférieur, à peine en biais par rapport à l'axe du ventre.

Plus en arrière encore et vers la droite, à vingt mètres environ, il y a un deuxième homme, qui se traîne à demi couché dans l'herbe rase, sur le bord du chemin. Celui-là est vêtu d'une armure blanche, comme en arboraient les chevaliers français sous Charles VIII. Mais il n'a plus ni épée, ni lance, ni monture. Trouvant un reste de forces pour se soulever sur son coude gauche, il étend le bras droit en direction du couple qui s'éloigne, c'est-à-dire vers moi. Un casque d'argent aux plumes neigeuses gît à ses côtés sur le serpolet en fleurs. Et je me demande si sa bouche ouverte et distordue, qui a l'air de pousser un cri de rage ou, du moins, une exclamation violente, est en train de maudire ou de supplier. Le marchand de tableaux, malgré tous ses catalogues, n'a jamais pu me dire ce que signifiait cette scène énigmatique : légende, allégorie, épisode emprunté à la littérature ou à l'histoire ? Il a convenu néanmoins d'un anachronisme probable entre le costume de uhlan porté par le cavalier noir et l'armure renaissance du chevalier blanc tombé à terre.

Mais, pendant ce temps, Corinthe et Manrica galopent à travers la forêt des Pertes. La jeune fille en robe blanche fraîchement lavée a convaincu sans trop de mal le capitaine, égaré ou incertain, de poursuivre sous les hêtres dans la même direction, au-delà du pseudo-cratère, au lieu de revenir en arrière vers la route qu'il avait précédemment quittée pour s'enquérir d'un itinéraire convenable. S'il veut se rendre à Suippes sans détour, assurait-elle, le plus simple est de passer d'abord par Les

Hurles, un village perdu tout au bout d'une étroite vallée marécageuse, où l'on exploitait autrefois la tourbe, qui pénètre en pointe jusqu'au cœur de la haute futaie. Un chemin forestier, qui ne mène nulle part ailleurs, prend justement ici, au bas de la pente, à quelque trente mètres de ce monticule échancré dont le sommet en creux abrite une fontaine. La piste s'élargit ensuite progressivement jusqu'aux Hurles, d'où une voie commode rejoint Suippes en moins d'une heure.

Ayant enfourché son cheval blanc sans s'attarder davantage, Corinthe a fait monter l'adolescente devant lui. Aidée par la main qu'il lui a tendue et posant à peine son petit pied nu sur la botte engagée déjà dans l'étrier, elle a sauté en place d'un seul bond avec une agilité d'écuyère, se retrouvant assise en amazone sur la partie avant de la selle, entre les sacoches de pommeau et les cuisses du cavalier. Par moment, elle appuie à peine sa paume droite contre l'encolure de la bête, un peu au-dessus du garrot, refermant ses doigts menus sur le bourrelet de chair qui porte les crins. Mais, dès que la pente s'accentue, ou bien quand le layon qu'ils empruntent permet un temps de galop, la petite se retourne vers la poitrine protectrice de l'officier et s'y cramponne alors des deux mains, peut-être sans absolue nécessité, bien qu'avec une satisfaction évidente. Dans le mouvement rythmé qui les emporte, ainsi collés l'un à l'autre, elle frotte ses seins contre la rude vareuse et rapproche sa hanche dodue de la culotte rouge ajustée.

Le hameau des Hurles est en ruines, abandonné par ses habitants. Il comportait une dizaine de maisonnettes ; toutes ont leurs portes défoncées, la moitié des fenêtres arrachées et les autres avec leurs petits bois en miettes, sans qu'il y demeure le moindre carreau intact.

Un volet pend de travers sur un seul gond ; une modeste pergola s'est effondrée ; des toits d'ardoise ont été crevés par l'incendie ; de larges nappes de suie noircissent la pierre au-dessus d'embrasures béantes. A terre sont répandus les débris des pots de géraniums, fracassés, qui ornaient les appuis ; parmi les fragments de terre cuite aux angles vifs, quelques tiges tentent de survivre sur leurs mottes défaites, nourrissant même encore çà et là de maigres fleurettes rouges. A en juger par l'aspect de ces plantes moribondes, le désastre doit remonter à une ou deux semaines tout au plus. On ne saurait dire s'il a été produit par des explosions venues du ciel, ou bien si c'est là seulement le résultat d'un saccage systématique, opéré par des pillards ennemis. On n'aperçoit nulle part, en tout cas, les entonnoirs qu'auraient creusés des bombes aériennes ou de gros obus dans la terre des jardins et la chaussée des ruelles. On ne voit pas trace non plus d'aucun meuble rudimentaire ni de vaisselle paysanne, ou autres ustensiles de ménage projetés à l'extérieur par des hordes dévastatrices.

Seule présence vivante, un très vieil homme est assis sur une chaise de cuisine au dossier cassé par le milieu, raide, immobile, devant l'entrée sans huisseries d'une masure en aussi triste état que ses voisines. Il a l'air de prendre tranquillement le frais au seuil de son logis. Mais sa porte démantelée gît sur le sol auprès de lui. Et, en s'approchant, Corinthe découvre sur son visage gris de poussière une expression hagarde, hébétée ; peut-être demeure-t-il assommé lui-même par le choc de cette catastrophe qui a frappé tout à coup son univers. Sous un chapeau à larges bords, dont le feutre ne possède plus ni couleur ni forme, il a les yeux fixes, exorbités, la bouche entrouverte, les lèvres qui tremblent. Ses deux

mains sont refermées devant lui, à hauteur de sa poitrine, sur une tringle en bois moulurée, brisée aux deux
bouts et provenant sans doute d'un lambris qui a volé
en éclats. La haute taille de cette épave, son extrémité
pointue dressée en l'air, verticalement, la façon dont
l'homme s'y appuie, font penser davantage à une lance
de guerrier montant la garde, prêt à bondir, qu'à l'hum-
ble et sénile canne d'un invalide.

Corinthe lui ayant adressé, du haut de sa monture,
quelques mots de salut, le vieillard lève lentement vers
lui un regard idiot, ou horrifié, ou dément, en ouvrant
davantage ses minces lèvres desséchées sur des dents
elles-mêmes en ruine. Puis, il abandonne d'une main son
support improvisé, pour agiter bizarrement devant ses
yeux de longs doigts osseux aux articulations difformes,
où manque l'index. De sa bouche, comme frappée de
paralysie partielle, ne sortent que des sons rauques,
inarticulés, provenant du fond de la gorge.

Le capitaine, sans plus insister, fait regrimper à son
cheval le petit raidillon mal empierré qu'il vient de
descendre. En l'absence de toute indication nouvelle
concernant le meilleur moyen pour parvenir enfin à
Suippes, il se décide à continuer sa route dans la
direction proposée par son embarrassante et peu fiable
compagne, toujours blottie contre lui. Le vent, qui s'est
soudain levé tandis que le pâle soleil disparaissait sous
des nuages bas et sombres, siffle dans les embrasures
vides, les pans de murs croulants, les chevrons dénudés
et noircis des toitures. Manrica, apeurée maintenant,
prétend que le hameau des Hurles tient justement son
nom de ces lamentations plus ou moins stridentes que
l'on y entend toujours, été comme hiver. Mais Corinthe,
sans lui répondre, pense au contraire que, si les

constructions étaient normalement closes, l'appel d'air n'y produirait pas ces sinistres râles et hululements.

Ils entrent à nouveau dans la forêt, encore plus épaisse ici, dirait-on. La jeune fille doit avoir froid, car elle se serre plus étroitement contre le corps du cavalier. Le bruit du vent dans les décombres devrait décroître peu à peu, à mesure qu'ils s'éloignent du village détruit. Pourtant, ça n'est pas du tout le cas : il augmente, à ce qu'il semble, de façon incompréhensible et progressive. Cela fait à présent comme des hurlements de bêtes sauvages, arrivant de tous les côtés à la fois, qui se rapprocheraient de plus en plus...

Voilà que s'y mêlent aussi, parfaitement identifiables, les cahots gémissants d'une charrette. Et celle-ci apparaît en effet à un détour de la route, se dirigeant vers Henri de Corinthe et Manrica lancés au grand trot, qui bientôt arrivent en face d'un attelage traditionnel de nos campagnes, dont cependant le capitaine s'émeut aussitôt, sans que sa jeune protégée puisse d'abord comprendre pourquoi. D'après les descriptions qu'on lui en a faites au départ, il reconnaît là le tombereau à la poursuite duquel il s'était lancé en compagnie de son ordonnance : c'est bien la même voiture de charge montée sur deux hautes roues aux essieux mal graissés, avec une croix blanche peinte au pochoir sur la massive ridelle avant, et le même cheval gris à la robe disgracieusement éclaboussée de taches noirâtres, efflanqué, sommeillant, qui avance tout seul en l'absence de son charretier, la tête basse.

Mais la caisse qu'il tire est vide, sans occupant ni fardeau d'aucune sorte (sable ou fumier, litière d'ajonc, jeune espionne enchaînée), et nul dragon ne la surveille.

De plus, ça n'est pas dans ce sens-là que devait aller le brigadier Simon, qui se rendait à Suippes. Une seule hypothèse acceptable vient à l'esprit de Corinthe, et au mien du même coup : abandonné à lui-même pour d'inexplicables raisons, le vieux cheval retourne à son écurie, d'une allure machinale de somnambule. Le panneau arrière, rabattu (au lieu de s'ouvrir par le bas comme un hayon ordinaire), pend presque jusqu'au sol et se balance en grinçant au rythme lent des sabots fatigués. Peut-être sourde et aveugle derrière ses œillères, la bête endormie ne s'est pas le moindrement écartée de son parcours en croisant le soldat, qui a dû abandonner le milieu de la chaussée pour lui laisser la place.

S'étant mis au pas, à son tour, celui-ci se retourne un instant, perplexe. Sur le plancher crasseux du caisson au hayon ouvert, il y a seulement une fine chaussure de femme à haut talon, d'une pointure très menue. Avec son empeigne triangulaire recouverte de fines paillettes métallisées, bleu de nuit, elle ressemble à un soulier de bal perdu par une danseuse lasse, qui aurait voulu marcher pieds nus pour se détendre un moment. Mais Corinthe ne s'explique pas du tout ce que fait là cet élégant accessoire pour demoiselle citadine. La petite prisonnière devait être vêtue d'un pantalon masculin et d'un blouson en cuir défraîchi, qui s'accorderaient mieux avec de gros mocassins, des galoches, ou même des sabots.

Cependant, me revient ici en mémoire une ancienne photographie d'amateur, jaunie, écornée, prise en Allemagne quelques mois à peine plus tôt, dans cette école de Rhénanie aussi privée qu'audacieusement moderniste où ma mère, âgée d'une vingtaine d'années, avait été professeur de français juste avant la guerre. L'endroit, qui lui a laissé toute sa vie un souvenir nostalgique d'enchantement, de liberté, d'ouverture aux idées nouvelles du temps, s'appelait O.S.O. (Odenwald Schule Oberambach) et j'ai entendu ce mot maintes fois répété durant toute mon enfance, prononcé ozo, ou encore, dans ma tête, oseau (comme roseau), et tout aussi bien « aux eaux », à cette époque où aller aux eaux représentait une sorte de merveille, du moins en milieu populaire. Bien entendu, nous nous moquions de maman, dans le tendre et corrosif idiolecte du clan familial, feignant de croire que l'Oso était une contrée mythique, fabuleuse, où tout devenait possible mais où personne n'était jamais allé vraiment : l'Eden, Cythère, le Monomotapa, Marienbad...

Je ne sais plus trop comment, du fond de son Finistère, Yvonne Canu avait atteint ce paradis. Un détail de son recrutement m'est en tout cas resté, garanti par le folklore : sans doute après avoir répondu à quelque petite annonce, sa candidature avait été retenue parce qu'elle ne portait pas de corset. Et, j'ignore aujourd'hui pour quelle raison directe ou par quel détour, cette histoire édifiante était liée à une rencontre à Paris d'un personnage également légendaire : Renée Vivien. Les enfants ou adolescents des deux sexes qui ornaient de leur présence la prestigieuse institution, hors du commun en tout état de cause, appartenaient à une société choisie, l'intelligentsia riche ou l'aristocratie d'avant-garde, tel ce jeune fils du comte Zeppelin présent sur une autre image de la même série. Les bâtiments étaient coquets et alpestres, fleuris de géraniums, étagés sur le flanc au midi d'une colline boisée de l'Odenwald.

La photographie a été prise au cours du *Luftbad* (le bain d'air) des jeunes filles. Elles paraissent avoir entre douze et dix-huit ans et sont presque toutes très blondes. Entièrement nues et disposées en quinconce dans une clairière, elles doivent être une vingtaine environ. Les plus jeunes sont au premier rang. On voit leurs corps de face, tous dans la même pose gracieuse : les jambes à demi ouvertes, la gauche — à peine fléchie au genou — ne reposant dans l'herbe que par l'extrême pointe du pied, les hanches en légère torsion latérale, les bras levés, coudes arrondis, la tête renversée en arrière sur l'épaule gauche, les deux mains réunies par les poignets, vers la droite, un peu au-dessus du visage.

Les chevelures libres, assez longues pour la plupart, sont répandues en boucles molles sur la chair. Le geste des mains est remarquable, souple et délié comme ceux qu'exécutent les danseuses orientales, leurs fragiles poignets paraissant néanmoins retenus ensemble par d'invisibles liens. Tout au fond, on aperçoit de grands arbres dépassant un haut mur de pierre, qui occupe un peu plus des deux tiers de l'orée du bois et devant lequel, inexplicable, presque saugrenu, un tombereau de paysan est arrêté, comme si le cheval gris sans charretier contemplait lui aussi la scène, mais dans l'autre sens. Sur la ridelle avant, lourde et massive, il y a les traces à demi effacées d'une croix de Malte blanche, probablement faite au pochoir avec du lait de chaux, qui me fait penser, aujourd'hui, à la croix de fer en usage dans la Luftwaffe ou la Wehrmacht.

Mais, au premier plan, une fillette impubère a rompu

116

la posture (sans doute au moment précis où l'amateur qui a pris cet instantané médiocre appuyait sur le déclencheur de son appareil, car une main est tout à fait floue ainsi que les cheveux, saisis en mouvement), laissant retomber un de ses bras tandis que les épaules, le cou et la tête se tournent vers l'arrière, afin de regarder — peut-être — en direction du choquant (fatidique ? inquiétant ?) attelage.

Dans l'angle inférieur gauche du cadrage — d'ailleurs assez maladroit — il y a une plante sauvage à fleurs blanches dont j'ignore l'espèce, le genre, et même la famille. Elle est pourtant bien visible, tout à fait sur le devant et parfaitement au point. L'inflorescence (trois tiges groupées, partant du sol en faisceau) ressemble à celle du muguet, mais cinq ou six fois plus grande ; et les feuilles en rosette, tout autour, sont larges et molles, fortement lobées, avec une nervure centrale bien reconnaissable, attestant en tout cas l'appartenance à la classe des dicotylédones.

J'ai inspecté très souvent ce cliché, malheureusement d'une netteté douteuse, même dans ses parties immobiles (sauf en ce qui concerne les herbes à l'avant-plan), comme si j'avais l'espoir tenace d'y découvrir d'autres signes, et ainsi quelque signification nouvelle, insoupçonnée... La guerre a éclaté le mois suivant. Maman venait de retourner en Bretagne pour les vacances scolaires d'été, laissant dans sa merveilleuse chambre d'outre-Rhin la plus grande partie de ses affaires.

A plusieurs reprises, en 1915 et 1916, elle a pu correspondre avec ses collègues allemands et certains grands élèves qui lui étaient chers, via Genève, par la poste normale (j'ai vu les lettres avec leurs enveloppes, et les cachets d'oblitération sur les timbres). Mais elle se souvenait maintenant du mot *Kriegspiel,* le jeu de guerre, qui revenait dans leurs conversations du dernier printemps de paix, où, naïvement, elle n'avait alors soupçonné qu'une variante locale du jeu de barres, des quatre-coins, ou du tennis. Lorsqu'elle a voulu ensuite, après la victoire, rentrer en possession de ses objets personnels, on lui a répondu que tout avait été mangé par les mites (j'écris mythes, par inadvertance, sur mon premier brouillon). Et elle a toujours regretté que la voracité de ces frêles insectes n'ait épargné ni son indispensable service à thé en porcelaine, ni le violoncelle dont elle ne savait du reste pas jouer.

Un hiver (il n'y a pas si longtemps, mais maman était déjà morte) où j'avais donné un court séminaire sur le roman moderne à l'Université de Mannheim, j'ai appris que l'Oso existait toujours. Ayant donc remonté parmi les vignobles la célèbre Bergstrasse, qui longe l'Odenwald du coté ouest, j'ai retrouvé avec une sorte d'émotion vide, comme à l'abandon et pour ainsi dire abstraite, les jolies maisons de style faussement rustique en bordure de la forêt, avec leurs grands toits dissymétriques de chalets montagnards et leurs balcons de bois éternellement fleuris.

C'était un dimanche humide et doux. Les feuilles brunes et coriaces des hêtres formaient un tapis bien propre entre les taches de neige en train de fondre. Un jeune professeur, étonné de mes liens avec son école, m'a fait visiter les lieux où ma mère avait enseigné jadis. L'institution, m'a-t-il raconté au cours de la promenade, avait été fermée avant la fin des années 30, le couple qui la dirigeait, juif selon la loi allemande, s'étant réfugié en Suisse. Elle n'a rouvert ses portes qu'après la chute du Troisième Reich, mais le « bain d'air » qui, paradoxalement, rappelait trop l'idéologie nazie de communion avec la Nature, avait été supprimé.

Reste la photographie, qui doit se trouver à présent dans l'une des malles de souvenirs à la dérive dont est rempli le grenier de Kerangoff, à moins qu'elle ne soit rangée parmi les autres clichés incertains d'une grande boîte en érable au couvercle bombé (comme celui des malles chapelières) rapportée ici, au Mesnil : dames avec d'immenses chapeaux, enfants inconnus en maillots de bain archaïques sur des plages d'autrefois, oncles et tantes à la mode de Bretagne dont ma sœur ni moi ne savons même plus les noms.

Corinthe, de son côté, n'a guère eu le loisir, ce 20 novembre 1914, de s'interroger longuement sur une telle croix blanche aux connotations — il faut l'avouer — moins germaniques que maltaises (à l'instar des oranges sanguines, ou encore du faucon dont les rêves sont faits), qui figurait ici comme là sur le tombereau ; car, aux hurlements d'abord lointains, puis de plus en plus proches, des grands loups gris de Lorraine (ceux-là précisément qui ont dévoré Charles le Téméraire) vont bientôt succéder les bêtes elles-mêmes, en chair et en os, et en canines acérées.

Au nombre de huit ou neuf, silencieuses désormais (depuis qu'elles ont rejoint leur proie pour cette nuit), elles sont lancées en meute triangulaire dans une course rapide et souple, parfaitement synchrone, qui tient du cauchemar tant les longues foulées sont régulières et inexorablement périodiques, à la poursuite du cheval blanc, affolé. Le galop de celui-ci ne fait pas non plus le moindre bruit sur l'épais tapis de feuilles mortes, sous les hêtres immenses, entre les taches de neige éparses qui subsistent (dans les creux au nord ou contre le talus) depuis les premières chutes abondantes de la saison. La violence extrême de l'ensemble est totalement amortie, comme si la scène se déroulait dans de l'ouate, ou au ralenti sur un écran dont on aurait coupé le son ; mais son caractère horrible en est encore accru, par l'absence de tout effet réaliste.

Manrica, glacée de peur, se serre toujours plus étroitement contre ma poitrine, en s'agrippant des deux mains à l'étoffe de la réconfortante vareuse. Elle tremble de tout son corps, comme sous l'effet subit d'une forte fièvre. N'aurait-elle pas contracté un mal sérieux lors de son absurde bain de plein air entre les rochers ? Elle murmure d'une façon presque continue des mots que je comprends à peine, formant une sorte de litanie gémissante et sans suite, produite apparemment par le délire fiévreux. Elle répète :

« Plus vite, il faut aller plus vite. Il faut aller plus vite que les loups. Et les grands loups gris des Hurles vont plus vite que tout au monde... Ils vont plus vite que l'amour... qui me porte..., plus vite encore que les nuages bas de novembre... Pitié ! Ayez pitié ! Les longues mains noueuses des hêtres se penchent vers nous pour nous retenir... Ayez pitié, Seigneur ! Elles nous emprisonnent déjà dans trois réseaux de maléfices. N'entends-tu pas leur murmure méchant autour de nos oreilles ? Ne sens-tu pas la glace qui descend peu à peu sur nous ?... Ne reconnais-tu pas la morsure des loups, le sang qui coule sur ma triste chemise blanche, ma chair déchirée contre toi ?... Et ne vois-tu pas comme je brûle ? »

La lumière, cependant, a de nouveau changé. C'est

maintenant celle d'un crépuscule d'hiver, immobile, en suspens. Le vent est tombé aussi soudainement qu'il était apparu. Entre les branches noires des arbres, le ciel s'est en partie dégagé, vers le sud-est en tout cas, dans la direction où les loups, qui nous ont presque rattrapés, nous emportent à une vitesse de plus en plus impétueuse, aveugle, improbable, hallucinée, bientôt immobile à son tour ; des bandes jaune pâle, brillantes, y alternent avec de longues traînées sombres, presque violettes. Le visage de Manrica est désormais aussi blême que ce faux couchant, qui s'étend du côté où le soleil se lève. Elle dit encore, de sa voix grave et lacérée :

« Ne vois-tu pas les ramures des grands hêtres mortuaires qui s'inclinent de plus en plus vers nous ? C'est sous le poids des loups qui sont assis sur les branches basses... Non ! Non ! Ne me dis pas que ce sont des corbeaux : leur taille est beaucoup trop importante, démesurée même pour des aigles, et leurs queues en panache, énormes, gonflées, duveteuses, se balancent doucement au-dessus de nos têtes lorsque nous passons, dans le blanc galop de ton cheval fantôme. Regarde comme ils nous contemplent de là-haut. Lève la tête un instant, si tu l'oses... Ils sont là, tranquilles, assis comme des chiens qui attendent leur pitance. Mais leurs yeux sont cruels et leurs griffes déjà sorties. Et quand je tomberai à terre, abandonnée par mes dernières forces, ils seront des centaines à sauter sur mon corps, offert sans défense à leurs crocs. »

La pointe de leur long triangle féroce, c'est-à-dire la gueule entrouverte du vieux mâle de tête, est maintenant à deux mètres à peine des sabots du cheval frappé d'épouvante. Manrica veut crier, mais aucun son ne sort plus de sa gorge. Alors, brusquement, tout s'arrête : le mouvement fou s'est figé, d'un seul coup, dans l'éternité d'une gravure en noir et blanc de *l'Illustration*.

Ce matin de février où je relis les lignes qui précèdent, après quelques jours d'interruption, je me suis levé moins tard que d'habitude. Debout derrière ma fenêtre favorite, celle qui donne au midi et dont la profonde embrasure lambrissée s'ouvre, dans l'épais mur de pierre, juste au bout du vaste bureau « retour d'Egypte » à l'acajou décoloré par le soleil, qu'encombrent mes brouillons manuscrits successifs, je contemple, vers le sud-est, ces même bandes horizontales, jaune paille et violet blême, qui alternent du côté de l'hypothétique soleil levant.

Le dégel des bassins est maintenant achevé. La glace y avait acquis une telle épaisseur, en deux semaines de grands froids, que les vaches échappées de la prairie voisine ont pu s'y promener — avec deux ou trois mètres de fond sous leur pieds fourchus, la marque des deux onglons en pince restant ensuite bien visible sur la fine couche de neige qui poudrait la surface du miroir — et cela sans produire le moindre craquement. Au bas de la fontaine en granit, dans l'angle du bois vers la roseraie, s'était formée peu à peu une large cascade solidifiée, en éventail de stalagmites blanches, creuses comme des tuyaux d'orgue aux endroits où l'eau de source continuait à couler, qui a mis plusieurs jours à fondre complètement.

La nappe liquide est aujourd'hui d'un calme parfait, sans la moindre ride, et le jardin hivernal s'y reflète avec une netteté qui paraît même infiniment plus vive que celle de l'original : c'est comme un paysage fraîchement lavé, encore luisant, presque surnaturel à force d'excessive présence, de transparence, et d'absolue limpidité. Sa composition est d'ailleurs aussi plus intéressante, car une colline sombre s'élève en pente douce derrière les vrais arbres jusqu'aux trois quarts de leur hauteur, considérable bien qu'ils n'aient guère plus de cent ans à cet endroit, tandis qu'elle a totalement disparu dans le reflet inversé, comme si le regard partait en contre-plongée du ras de l'eau, devant la fontaine, et non pas de vingt mètres plus haut que le niveau du bassin.

Sur cette étincelante image réfléchie, les troncs et les branches enchevêtrées des tilleuls, des frênes, des charmes — les vieux ormes malades ont été abattus dans ce secteur-là comme partout ailleurs — se découpent ainsi directement en noir sur le ciel lumineux, rayé de mauve et de nankin. Entre les fûts, on découvre encore la jolie fille de marbre blanc (grisâtre en fait, et colorée progressivement par les algues vertes), mais privée de son socle, qui surgit donc à l'envers immédiatement sous l'arc de cercle en granit sombre de la fontaine, construite cet été-ci et déjà moussue, nymphe qui s'est noyée, la tête en bas, à force de se mirer dans une eau trop profonde.

Vue de loin, elle a l'air nue. De plus près, on s'aperçoit qu'elle est vêtue (si l'on peut dire) d'une impalpable et presque partout invisible chemisette, collée intimement à ses tendres chairs, comme si elle venait de prendre son bain. Elle représente la pudeur, selon du moins ce qu'affirmait le marchand d'esclaves en me la livrant. Mais le mouvement de ses bras, gracieusement relevés autour du visage, met en valeur ses jeunes charmes au lieu de les dérober à l'attouchement du regard, tels ceux de Phryné jouant la chasteté devant ses juges. Et sa gentille figure sourit imperceptiblement (craintivement ?) sous l'auvent des poignets délicats et des doigts déliés.

Ici, je me pose une question : pour quelle raison mon récit, deux pages plus haut, s'est-il brusquement interrompu ? Je crois tout simplement que la vision venait de disparaître, comme l'image brillante et apeurée de l'ondine lorsque l'eau du miroir soudain frissonne, sous la naissante brise de nord-ouest qui parcourt à présent le bassin supérieur. Ce sont d'abord les loups assis sur les basses branches, au-dessus du chemin, dont les formes peu vraisemblables et la fourrure trop laineuse ont commencé à se dissoudre dans l'incertaine lumière du crépuscule, à s'évaporer en longs lambeaux effilochés de brume grise, puis de même bientôt la meute triangulaire lancée derrière le cheval trop pâle, au galop immobile et silencieux... Et puis Manrica s'est envolée à son tour, dans sa chemise blanche immatérielle, tandis que le cavalier qui la retenait entre ses bras était absorbé par un tournant imprévu de la route forestière...

A la place du fringant capitaine de Corinthe, avec ses bottes vernies, sa culotte rouge et sa vareuse couleur de fer à boutons dorés, il n'y avait plus désormais que le comte Henri vieillissant, assis à sa table de travail au premier étage de la Maison Noire, enveloppé d'un plaid écossais, en train de récrire une fois de plus ses carnets de guerre. La forêt des Hurles était elle-même devenue si terne et si brouillée que j'ai dû me raccrocher à celle plus modeste du Mesnil, ou plutôt — moins plate, moins douteuse, mieux dessinée — à son image immarcescible dans l'étang.

Encore ai-je commis sur ce point une notable supercherie : les rayures blondes, très claires, séparées par des lignes plus étroites aux teintes lilas ou isabelle, qui barrent l'horizon en strates successives au-delà des arbres du parc, étaient déjà un souvenir elles aussi, au moment de leur écriture, un souvenir qui datait même de plusieurs jours. J'ai toujours été, je me trouve aujourd'hui encore, incapable de décrire ce que j'ai sous les yeux (la plume m'en tomberait aussitôt des mains), sans doute parce qu'il y manquerait la dimension imaginaire : celle de l'esprit absolu. Et je ne suis pas loin, en outre, de penser qu'il y a plus de réalité dans la violence d'une image fixée par la mémoire, ou dans les traces que laisse un cauchemar nocturne, ou dans le surgissement à l'état de veille d'une vive et précise vision intérieure qui demande à voir le jour — c'est-à-dire dont l'évidence devient texte — que dans la plupart des choses de la vie quotidienne, instables, précaires, sans cesse minées par le néant.

Je le sais bien, c'est seulement parce qu'il y a du néant dans ma conscience (ce centre vide au cœur de l'anneau d'or forgé par Alberich) que peut se dévoiler un monde devant moi, un monde que mon être vidé de soi projette et *réalise*. Mais ce monde-là, celui où nous vivons et que nous faisons semblant de croire solide, hanté au contraire par l'origine même de son apparition (je veux dire le néant, qu'il voudrait oublier), se trouve immédiatement frappé de suspicion : il vient de la négation radicale et menace aussitôt d'y retourner. J'en ai la révélation irrécusable, rappelle Heidegger, dès que j'affronte la plus ordinaire des angoisses sans objet, l'angoisse du rien, qui laisse à nu d'abord l'étrangeté du monde dit réel, et bientôt l'anéantit. Mais il reste là pourtant, autour de nous, têtu et chancelant tout à la fois, hésitant un pied en l'air entre son avènement éternel et sa définitive absence, depuis toujours.

Seule l'œuvre d'art, le texte directement produit par l'angoisse, pourraient ainsi, paradoxalement, échapper pour les siècles des siècles au vide qui les a, eux aussi, mis au monde. Tandis qu'à chaque instant s'effondre devant moi l'univers quotidien, l'écriture de l'imaginaire construit à partir du néant lui-même (pris comme structure) un anti-monde, sur lequel l'angoisse fondamentale ne pourra plus jamais avoir de prise, car c'est cette angoisse précisément — et non pas les mots ou la syntaxe, contrairement à ce que croit le sens commun — qui constituera le matériau dont il est bâti.

Sur le mur en face de moi (ou, plus exactement, sur la mince cloison en lattis de chêne, argile et poils de vache, qui sépare ma chambre-bureau du cabinet de toilette attenant), juste au-dessus de la spacieuse surface de travail en vieux cuir, aux multiples nuances de lichens et de mousses (plus ou moins délavées selon que l'entassement variable des papiers y cache fréquemment ou non la lumière), qu'encadre une marge de bois mordoré (au vernis ancien terni par l'usure autant que par les rayons obliques du soleil tombant des petits carreaux de la fenêtre trop proche) dont une épaisse moulure en bronze luisant protège l'arête, le tout se trouvant en ce moment même (nouvelle imposture, hélas! continuel dérapage du temps) presque entièrement recouvert par les centaines de feuillets manuscrits que comporte déjà mon rapport, surchargés de ratures mais rangés en bonne ordonnance (notes préliminaires marquées, en haut à droite, d'un O suivi du numéro d'ordre et quelquefois aussi d'une date, brouillon A, brouillon B, brouillon C, numérotés à leur tour, bien entendu, feuilles de rajouts ou de récritures concernant des passages exagérément corrigés, grossis, devenus indéchiffrables pour moi-même, celles-là portant la marque X accompagnée d'un chiffre, texte définitif enfin, écrit à la main comme tous les autres mais dépourvu de corrections, du moins apparentes, parfaitement propre et lisible — deux mille caractères par page environ — qui doit aller directement à l'imprimerie sans passer par aucune frappe intermédiaire, l'ensemble de ces six états progressant de façon parallèle à quelques paragraphes de distance), se dresse... Où en étais-je ? Ah ! oui : au-dessus donc de mon bureau second Empire et de mes écrits en cours, se dresse à nouveau le chevalier noir qui emmène derrière soi une jeune captive, enchaînée au riche harnachement de son destrier. Par le sang de quelle victime (innocente, ou bien traîtresse, ou coupable de quelle plus obscure faute) se trouverait imprégné le menu lambeau de soie blanche qu'il tient comme un trophée dans sa main droite, dont le gantelet d'argent enserre en même temps le bois noir de sa lance au fer encore dégoulinant du même liquide vermeil, encore frais mais qui déjà se fige ?

Tout en bas, dans l'angle inférieur gauche du cadrage, une plante sauvage en fleurs a été peinte avec le même souci de précision que l'ensemble du tableau. Peut-être s'agit-il, cependant, d'une espèce imaginaire, ou bien qui pousserait seulement dans de lointaines et inaccessibles contrées où je n'aurais jamais herborisé jusqu'à présent ? Les hampes florales, dont trois tiges semblables — mais l'une un peu plus courte que les deux autres — sont groupées en un faisceau serré partant du cœur, au niveau du sol, font penser à celle (le plus souvent solitaire) de l'asphodèle commune, bien que les clochettes soient ici plus arrondies et d'une éclatante blancheur ; tandis que la rosette de feuilles sans pétiole, touffues et fortement dentées, ressemblerait plutôt à quelque scarole ou chicorée de nos jardins normands, presque à l'autre bout du monde, désormais.

J'ai, pour cette raison de distance intérieure fortuite, apparue dans mon texte comme une faille au sein de l'énonciation, ou comme une accusation de mensonge, parlé un peu plus haut de dérapage et d'imposture. Car je transcris le paragraphe en question sur mon brouillon C, y laissant subsister cette inutile notation temporelle (« en ce moment même ») qui éternise un instant déterminé (imaginaire, lui aussi, peut-être) de l'encombrement aléatoire des papiers à la surface de mon immodeste bureau néo-égyptien, au Mesnil, alors que je viens de m'installer pour six semaines sur une table de travail tout à fait différente, dans une petite maison américaine débordante de livres, entre un ample oranger dont nous mangeons les derniers fruits et une haute haie de grenadiers, enluminés d'innombrables corolles vermillon, parmi lesquelles se disputent de gros oiseaux bleu vif à ventre gris.

Au-delà du rideau d'arbustes, la rue D, large, verte et fleurie, conduit, en dix minutes ombragées, paisibles, de promenade sous les noyers et les eucalyptus, jusqu'au campus de l'ennéacéphale Université de Californie. Entre les bâtiments sans grâce du département de littérature française, les drupes à la chair huileuse, trop mûres, qui tombent d'immenses oliviers que jamais personne ne taille ni ne cueille, s'écrasent en pâtés d'encre violette sur le dallage des allées. Nous sommes le 1er mai. Il fait une chaleur caniculaire, sèche et gaie, comme si c'était les vacances. J'habite à Davis, une dizaine de miles plus à l'ouest que Sacramento, qui est la capitale de l'Etat, administrative, historique et romanesque. On vient d'y restaurer pour les touristes indigènes épris de leur passé récent, déjà fossile, tout un quartier « ancien » : maisons de bois aux couleurs pastel, bleu d'azur, rose, mauve, jaune paille, bordées de hauts trottoirs en planches comme dans les westerns, magasins plus ou moins illusoires, entrepôts aménagés en brasseries... Il y a même un petit port fluvial, garni de faux bateaux à aubes, et la traditionnelle gare du chemin de fer, avec ses locomotives à vapeur et son wagon-lit lambrissé d'érable, qui disposent d'à peine cent mètres de rails en trois tronçons parallèles. La succession insistante des boutiques à souvenirs propose aux chalands, descendus des omnibus à deux chevaux, les photos reproduites en série de trains plus franchement archaïques — plate-forme ouverte, tender à bois de chauffe, chasse-buffles et cheminées monumentales — datant de l'époque fabuleuse, ainsi que des robes brodées d'autrefois, aujourd'hui fabriquées à la chaîne en Corée du Sud ou à Formose.

Pourtant, le vrai train existe toujours, tenace et ignoré, qui, à travers montagnes, déserts salés, plaines à maïs, s'avance péniblement (cinquante à l'heure de moyenne) depuis Chicago et les Grands Lacs jusqu'à San Francisco, en passant par Denver, ce qui représente près de quatre mille kilomètres, soit plus de trois fois vingt-quatre heures de route. Il s'arrête toujours à Sacramento, mais dans un autre gare, puis à Davis. De même que pour la plupart des autres grandes lignes américaines (New York-Miami, Chicago-Portland (Oregon), ou New York-Los Angeles par la Louisiane et El Paso, à la frontière du Mexique, cinq mille cinq cents kilomètres d'affilée — près de cinq jours — qu'on ne peut plus parcourir désormais sans une longue et irritante interruption à La Nouvelle Orléans), nous avons fait ce trajet-là, Catherine et moi, il y a peut-être une douzaine d'années.

Et nous entendons encore, maintenant, qui déchire notre petite cité tranquille, le long mugissement de la motrice aux croisements des avenues. Il doit y avoir des convois de marchandises très nombreux, en plus de l'express quotidien, car cette sirène basse et prolongée (nostalgique ?) se répète presque chaque demi-heure. La voie passe si près de la maison que l'on perçoit avec netteté, dans le silence nocturne du bureau-bibliothèque où j'écris ces lignes, le vacarme saccadé que font les roues aux jointures des segments de rail... Le bruit s'amplifie, comme l'essaim des djinns, culmine en apothéose, puis s'efface progressivement... Plus que deux ou trois heures parmi les champs d'amandiers, les collines sèches et bientôt les usines suburbaines, pour atteindre enfin l'océan derrière ses falaises brumeuses. Bruit de jadis, Paris-Brest, bruit d'enfance et de souvenir, appel en même temps vers les futures traversées de grands espaces, toujours neufs.

Hier, tandis que nous marchions sur les olives écrasées et les minuscules cônes en chapeau chinois que rejettent les fleurs d'eucalyptus en s'épanouissant, une de mes étudiantes, native comme moi du pays de Léon et qui venait de lire *Le miroir,* m'a raconté que ses grands-parents avaient connu des Corinthe, entre les deux guerres, sur la côte bretonne du coté de Lesneven. Il doit s'agir de neveux du comte Henri, probablement les enfants de Charles, frère et sœur morts à présent, bien entendu, et restés l'un comme l'autre sans descendance. Mais ce que cette jeune fille croit savoir, au sujet de mon héros lui-même, ne recoupe en rien mes propres fiches, pourtant nombreuses, souvent surabondantes concernant certaines périodes de son existence tourmentée, où des contradictions, ambiguïtés ou apories, surgissent à l'improviste au sein des parties mêmes qui paraissaient les plus avérées et stables, des événements nouveaux, impossibles à insérer dans la trame si péniblement tissée, venant soudain remettre l'ensemble en question.

Le volumineux dossier des récits, plans, notes fragmentaires, chronologies et remarques s'est encore accru au début de ce printemps, qui était à vrai dire un automne, puisque je me trouvais dans l'hémisphère austral. Avant de partir pour la Californie, j'ai en effet profité d'un séminaire sur mes films à l'Institut national cinématographique de Buenos Aires pour tenter de suivre les traces d'Henri de Corinthe après son dramatique départ d'Uruguay, dans les semaines qui ont suivi la disparition (mystérieuse ?) de Marie-Ange, sa prétendue fiancée aux lèvres pâles.

L'homme semble avoir d'abord fui le plus loin possible vers le sud, tout au bout de la Terre de Feu. La petite ville d'Ushuaia, sur le canal de Beagle qui sépare l'Argentine des îles chiliennes, paraît presque inexistante sur les photographies que j'ai pu voir, datant de ces années d'après-guerre. Même aujourd'hui, en pleine expansion, elle ressemble surtout à quelque campement de pionniers modernes, composée principalement d'une grand-rue, parallèle au rivage, vers le bas de la pente abrupte où croît une forêt de lengas nains (*nothofagus antarctica*) déjà rougie par le gel, qui s'élève jusqu'au glacier.

La plupart des bâtiments y sont de construction légère, bois et tôle ondulée. Leur pittoresque provient seulement des couleurs très vives dont ils sont peints, bleu indigo, jaune citron, rouge sombre, qui se répètent ensuite au ras de l'eau, ton pour ton, sur les centaines de containers entassés où l'on croirait voir comme une cité jumelle, avec ses rues, ses carrefours et ses impasses, encombrant les vastes quais du port commercial. Un vieux cargo chinois, énorme et rouillé, démesuré par rapport à ce qui l'entoure, charge là depuis deux jours des ballots de laine brute qui attendent dans des camions à remorques, alignés sur la jetée le long du modeste bassin militaire.

Le comte Henri, passionné — je l'ai signalé dans un précédent ouvrage — de pêche sous-marine au harpon, était venu là sous prétexte de chasser l'otarie flavescente, qui abonde dans ces eaux froides et n'avait pas encore été classée comme espèce fragile, menacée de disparition. Splendide bête blonde ou rousse, dont les rugissements fauves justifient le surnom « lionne de mer » donné par les navigateurs, on peut la surprendre d'un bout à l'autre de l'année paressant sur les récifs du détroit — assez large devant la baie d'Ushuaia — qui sépare cette dernière terre argentine des îles chiliennes, nettement plus exiguës. Mais un chasseur correct s'honore de ne pas l'y déranger, sinon comme voyeur ; il ne veut la transpercer de sa lance qu'en eau profonde, quand les sveltes nageuses à la redoutable morsure s'ébattent en un ballet imprévisible et gracieux.

J'estime peu probable, cependant, que Corinthe se soit attardé en des lieux si austères pour le simple plaisir, fût-il de nature cruelle, encore moins pour offrir sur le marché la peau de ces victimes luxueuses, vendues à prix d'or aux fourreurs sous l'appellation de loutre marine. Et je soupçonne en fait d'autres motifs — plus troubles encore, plus secrets, relevant d'un tout autre domaine — à sa présence suspecte en un tel port, aussi perméable que discret, perdu au bout du monde. Attendait-il quelque messager ? Ou bien espérait-il s'embarquer lui-même clandestinement sur un navire fantôme doublant les sombres falaises du cap Horn ? De nombreux vaisseaux sans nom de baptême, sans immatriculation ni la moindre existence légale, sillonnaient ainsi les océans après la guerre. Sans doute en existe-t-il toujours à présent, malgré les moyens modernes de repérage et la surveillance côtière généralisée.

En tout état de cause, je n'ai rien découvert d'intéressant concernant un séjour dont tout le monde ignore la durée, la date exacte, et jusqu'à la saison. Le modeste hôtel où ce fugitif de marque aurait logé, le seul existant à l'époque, sur la descente raide qui conduit de l'artère principale vers l'entrée des docks, a même disparu, remplacé récemment par une bâtisse plus confortable et plus élevée — sans conteste la plus imposante de l'endroit — qui a l'air d'un chalet géant. Je suis donc remonté vers le nord, en longeant la côte de Patagonie, mais je n'ai pas eu plus de chance à Rio Gallegos, ni à Commodoro Rivadavia d'où une carte brève et d'apparence anodine a pourtant été expédiée par Corinthe à son ami Frédéric de Boncourt.

Le texte stéréotypé de ce message depuis longtemps répertorié dans mes archives (« Bons souvenirs de Corinthe » ou quelque chose du même genre) pourrait en réalité contenir, au contraire et bien entendu sous forme codée, une information de première importance, car tout en continuant d'ignorer ce qui s'est passé dans l'intervalle, je sais maintenant avec certitude que Boncourt a retrouvé son vieux compagnon de l'autre guerre — la Grande — dès l'hiver suivant (j'entends l'hiver austral), c'est-à-dire quelque deux mois plus tard sinon moins, à la pointe nord-est du pays dite « Gouvernement des Missions », là où l'Iguazu se jette dans le Rio Parana en de spectaculaires cataractes qui sont devenues aujourd'hui l'un des hauts lieux du tourisme international.

Or ce point précis, lui aussi fort à l'écart et peu accessible en cette fin des années 40, comporte à l'évidence et de façon triple le même caractère frontalier qui semble alors attirer si fortement notre héros : ici, en effet, se rejoignent la République Argentine, le Brésil et le Paraguay. La rivière Iguazu, en aval des chutes et jusqu'à son confluent tout proche, est tellement étroite que, même si elle se trouve encore coupée par quelques rapides et souvent encaissée entre des parois rocheuses plus ou moins abruptes (mais praticables, je l'ai vérifié personnellement) qui ont facilité plus tard la construction d'un pont suspendu, n'importe qui peut la franchir sans aucune difficulté sur les pirogues des Indiens guaranis. Et nul poste douanier, à plus forte raison sur la rive brésilienne tout à fait sauvage, n'avait jadis été installé dans cette forêt tropicale brumeuse, peuplée surtout de toucans et de pumas. Asuncion de Paraguay, vers l'ouest, n'est plus ensuite qu'à trois cents kilomètres

134

de pistes que l'on parcourait à cheval, ou même en camion-autobus pour une bonne moitié du trajet.

J'ai déjà mentionné je crois, dans un précédent volume, ce Frédéric de Boncourt, arrière-petit-fils du poète allemand Chamisso [1] (de son véritable nom : Louis Charles Adélaïde de Chamisso de Boncourt) qui était d'origine champenoise mais avait dû, à l'âge de neuf ans, fuir les excès de la Révolution française pour venir s'installer en Prusse. Frédéric parlait couramment le guarani (détail important, on le devine), ayant peut-être hérité de son illustre ancêtre les dons pour la philologie qui avaient fait de celui-ci un éminent spécialiste des langages aborigènes d'Australie, alors que, parallèlement passionné par la flore des régions chaudes, il exerçait les fonctions directoriales au jardin botanique de Berlin.

Henri de Corinthe, né en 1889, avait sensiblement le même âge que Frédéric Chamisso de Boncourt et considérait ce dernier comme un camarade de combat, parce qu'ils avaient fait la guerre sur le même front, l'un et l'autre dans la cavalerie. Cependant, Boncourt était Prussien et se battait donc, jeune officier lui aussi, pour le camp adverse. Mais la fraternité des armes, chez les cavaliers comme chez les aviateurs, semblait par moment s'affranchir des mesquines contraintes nationales. Il me faut donc raconter ici comment les deux hommes avaient fait connaissance et s'étaient liés aussitôt d'une durable amitié.

---

1. Coïncidence ou prémonition ? Le romantique auteur de *L'amour et la vie d'une femme* fait dire à son immortel Peter Schlemihl : « L'hiver qui régnait dans le sud me fit promptement retourner du cap Horn vers les tropiques. »

Dans la matinée du 20 novembre 1914, on s'en souvient, le fringant capitaine de Corinthe traverse la forêt des Hurles, monté sur son cheval blanc aux sabots silencieux, dans l'espoir de rejoindre le brigadier Simon parti à l'improviste pour escorter une très jeune et trop jolie prisonnière, nommée Carmina, que les paysans accusent d'espionnage comme on soupçonnait autrefois de sorcellerie. Craignant de s'être égaré dans le labyrinthe des laies et des chemins qui ne mènent nulle part (*Holzwege*, disent les bûcherons lorrains germanophones), il a — comme nous l'avons vu précédemment — laissé son ordonnance à un carrefour par trop ambigu, en guise de témoin ou de sentinelle, pour s'avancer seul vers ce qu'il estime être le sud-est. Et il vient à l'instant de croiser le vieux cheval solitaire qui traîne avec lassitude un tombereau vide, portant, toujours bien identifiable quoique à demi effacée par l'usure, la croix maltaise peinte en blanc, au pochoir, indiquée au départ comme signe distinctif de ce qu'il poursuit depuis l'aube.

Pour surprenante que soit cette rencontre, elle semble néanmoins prouver que la route suivie est en définitive la bonne. Mais l'officier ne veut pas retourner en arrière pour prévenir le soldat demeuré au croisement, distant déjà de plusieurs kilomètres, car il craint de perdre ainsi un temps précieux : il pressent quelque drame imprévu, ou du moins quelque mésaventure survenue au cavalier Jean-Cœur Simon, que ses camarades de chambrée ont surnommé Simon-le-Cœur pour railler sa prétendue sensibilité de « rêveur » ou de « poète », éventuelle mésaventure dont témoignerait ce tombereau qui revient tout seul sur ses pas, ayant perdu à la fois sa précieuse passagère et son gardien. Corinthe continue donc son chemin, au trot enlevé à présent, redoutant à chaque tournant aveugle de se trouver soudain dans un piège, une embuscade, ou en face d'on ne sait quel spectacle encore plus fâcheux.

C'est en fait un incompréhensible tableau sur lequel bientôt il débouche. Et il arrête sa monture si brutalement que celle-ci se cabre, en battant les airs avec ses sabots antérieurs. Devant lui s'ouvre une clairière concave, dégagée peut-être autrefois dans la masse des essences diverses par un incendie accidentel, dû au travail de charbonniers imprudents. Un tapis de bruyères et d'herbes rases aux couleurs bronzées recouvre toute la dépression, entre des sommets rocheux parsemés de vieux arbres morts, des chênes — dirait-on — qui n'ont pas brûlé, mais dont les troncs mis à nu ainsi que leurs grosses branches noueuses, usés par le soleil alternant avec les intempéries, ont pris à la longue un aspect lisse et une teinte uniforme gris perle.

Au creux du val, au premier plan, gît un soldat français en uniforme de dragon. Une blessure rouge vif, toute fraîche, troue sa tempe droite. Sa main crispée tient encore la crosse d'un pistolet d'arçon, dont le canon brille à son côté entre deux touffes de trèfle défleuri. Sur sa poitrine qui ne respire plus se penche la tête d'un cheval apparemment indemne et sans aucun doute le sien, qui effleure de ses naseaux la vareuse bleue, soufflant de l'air chaud comme dans le désir de ramener son maître à la vie. Légèrement en arrière, vers la droite, un uhlan prussien qui porte des galons de lieutenant se tient immobile, raidi sur sa selle en haut d'un grand destrier noir, d'où il contemple comme avec douleur, ou tristesse, émotion, pitié, mélancolie..., le chevalier tombé à terre.

Mais la figure de cet officier ennemi a, elle aussi, de quoi surprendre. Il a ôté son casque aux ornements vermeils, qu'il tient du bras gauche replié contre le cœur, comme on ferait d'un chapeau de ville à l'église pour se recueillir devant le cercueil de son parent le plus cher. Et les cheveux blonds qu'il a libérés dans ce geste semblent tout à fait incompatibles avec la rigueur militaire en ces années fort peu laxistes, surtout dans un corps d'élite de l'armée impériale : longs, bouclés, encadrant comme une auréole d'archange un visage d'une beauté trop régulière, trop délicate, rendue presque féminine par la finesse des traits, jointe à l'air de sensualité que leur confère des lèvres trop rouges, charnues, ourlées avec grâce ainsi qu'il était de mise sur les portraits du XVIIIe siècle. L'ensemble néanmoins me fait surtout penser à quelque pur héros du Graal dans un film des années 30.

Avec lenteur, l'inconnu relève enfin ses grands yeux clairs en direction du capitaine français qui vient d'apparaître, interrompant comme à regret sa méditation. Puis, dans un large mouvement souple et régulier d'une perfection d'épure, qui paraît avoir été tourné au ralenti, il dégaine son sabre pour en présenter le métal nu verticalement devant son visage, menton levé, le tranchant de l'acier exposé face à moi, le dos non coupant de la lame effleurant presque sa bouche et son nez, en un cérémonieux salut de parade. Ensuite, toujours d'un geste très ample, majestueux, il rabaisse son bras et sa main gantée de noir qui tient la poignée à la garde ouvragée d'argent, mais sans remettre au fourreau l'arme courbe dont l'extrémité reste pointée obliquement vers le sol, tandis qu'il incline imperceptiblement à mon intention sa tête à la chevelure dorée ; puis, sitôt redressé, s'exprimant avec une superbe un peu enfantine, mais dans un français parfait, dépourvu de tout accent germanique et d'une voix très grave qui contraste avec son apparence d'éphèbe (sinon avec la stature du cavalier, imposante en dépit de sa sveltesse), il dit :

« Lieutenant Frédéric Chamisso de Boncourt. »

En réponse à ces civilités hors de propos, avec pourtant un léger retard, ou même un retard notable, difficile à évaluer dans l'état de stupeur ou m'a plongé la scène, j'entends mes propres paroles trouer le silence qui s'est de nouveau appesanti, comme si c'était dans un rêve (ai-je porté à ma tempe, de façon réglementaire, ma main droite raidie ?) :

« Capitaine Henri de Corinthe. »

Le regard de l'ange blond se tourne alors vers sa droite (c'est-à-dire, pour moi, du côté gauche de la toile), paraissant vouloir me signaler quelque chose d'important, m'indiquer peut-être la solution de tout ce mystère. Je porte à mon tour les yeux dans cette direction...

C'est au contraire une nouvelle énigme qui m'attend là, dans l'herbe rase : une jeune fille allongée sur le dos, morte également selon toute apparence, gisant à vingt mètres environ du cadavre masculin dans la posture abandonnée d'une belle endormie, ou frappée d'enchantement.

Elle est vêtue — si j'ose dire — d'une longue robe blanche, faite en un tissu si fin, si impalpable, que l'on ne peut guère en cette saison y voir autre chose qu'une chemise de nuit, rendue plus transparente encore par l'eau ruisselante qui l'imbibe du haut en bas et, en l'absence visible de tout sous-vêtement, applique avec impudeur les plis de gaze sur une jambe étendue, l'autre fléchie au genou, cuisses écartées, moulées dans leur immodeste linceul ainsi que le ventre aux hanches rondes qui appellent la main, une taille très fine juste au-dessus d'un nombril bien creux, des seins délicats et durs aux aréoles brun rose très discrètes (comme je les aimais, ô Angélica !), enfin tout le corps en légère torsion cambrée, voluptueuse penserait-on devant tant d'attraits réunis dans ces charmes offerts, inutilement désormais.

Et, de même, perdue au milieu de son abondante chevelure noire à demi défaite, dont les boucles molles ont des reflets roux qui bougent encore sous les pâles rayons du soleil d'hiver, sa jolie figure trop tendre, ses yeux doux demeurés grands ouverts, ses lèvres disjointes, font bien davantage penser au plaisir d'amour qu'aux affres du trépas, qui n'y ont laissé aucune trace.

Cependant, une blessure toute fraîche elle aussi, transperce la chair (et la chemise) à peine au-dessous de l'aine gauche, près de l'étroite et sombre toison triangulaire soulignée par la mousseline humide (mouillée, trempée, etc., on a compris) ; elle colore en rouge vif le haut de la cuisse et toute sa face interne, puis en rose pâle les alentours depuis l'arrondi du ventre jusqu'au genou, l'eau se mêlant au sang dans un dégradé d'aquarelle. La plaie doit être profonde et avoir sectionné une artère assez grosse pour provoquer une hémorragie si vive, jaillissante, que la mort est survenue très vite, avec même une curieuse rapidité, dont je me demande à la réflexion si elle est bien vraisemblable.

Egaré moi-même à travers la succession répétitive de mes adjectifs coupables, je me suis approché lentement, sans m'en rendre compte ; ou bien, c'est mon seul cheval fidèle aux pieds silencieux qui, en l'absence du moindre attouchement des étriers contre ses flancs, a senti au simple relâchement d'une bride dans quelle direction il devait s'avancer, glissant sur la mousse à petit pas imperceptibles. Toujours est-il que je me trouve à présent juste au-dessus de la séduisante et incompréhensible victime, que je puis détailler à l'aise de mes regards plongeants, depuis ses petits pieds nus...

Et voilà qu'une soudaine bouffée de souvenirs m'envahit : ce visage d'ondine brune, cette robe blanche trop estivale, ces pieds mignons de demoiselle, tout cela ne m'est pas inconnu. Il y a très peu de temps, me semblet-il... (mais quand ? Et où ? Dans quelles circonstances ?), j'ai déjà vu cette adolescente, je lui ai parlé, je l'ai tenue contre moi... Je fais un violent effort de mémoire pour préciser l'impression... Mais la vision fugitive s'envole aussi brutalement qu'elle m'était apparue. Non, je n'ai pas rencontré auparavant cette créature de rêve, cette malheureuse nymphe des bois et des eaux. Il s'agit ici d'une inconnue, sans aucun doute possible.

Elle avait ramené ses bras vers son cou, en expirant dans un soupir, le coude gauche replié, ses longs et fins doigts blancs de harpiste reposant dans la masse des cheveux répandus, la main droite au contraire à demi tendue de côté, paume ouverte, saisie ainsi par le sommeil... Mais elle porte à ce poignet-là un étrange bijou : une paire de menottes en acier brillant — comme en utilise la gendarmerie — dont le second bracelet n'avait pas encore été refermé sur la main gauche ou bien aurait été rouvert ensuite, peut-être afin de libérer un instant la jeune captive durant sa toilette.

Dans ce cas, il se pourrait fort bien que le soldat mort soit effectivement l'introuvable brigadier Simon, et cette adolescente sa prisonnière. Celle-ci, cependant, d'après les descriptions recueillies au village de V., portait un blouson de cuir et des pantalons d'homme très étroits ; on voit mal comment elle aurait pu fourrer par-dessous une aussi longue et ample chemise. Espérant obtenir enfin quelques explications, je me tourne vers le peu belliqueux cavalier allemand, qui n'a pas bougé d'un pouce et dont je ne me suis guère méfié, il faut dire, n'ayant pas eu un instant à l'esprit qu'il pouvait avoir commis lui-même ce double meurtre.

Je remarque alors, entre lui et moi, un détail important du paysage qui ne m'avait pas encore frappé, bien qu'il occupât, lors de mon arrivée sur les lieux, le centre du tableau face auquel mon élan s'était arrêté net : un ruisseau clair aux soyeux murmures coule au mitan du vallon déboisé, pour former entre des grosses pierres arrondies un petit bassin naturel de la taille d'une grande baignoire, qui devait en temps de paix servir à laver du linge pour les bûcherons campant dans les parages avec leurs familles.

Comme j'ai marqué le pas devant le menu cours d'eau que mon cheval s'apprête à enjamber, j'entends la voix grave du cavalier noir qui scande avec une sorte de désolation rêveuse, de recueillement funèbre : « ce peu profond ruisseau, calomnié, la mort », citation peut-être approximative où je reconnais néanmoins aussitôt un vers célèbre de Stéphane Mallarmé. Repensant ainsi à notre cérémonieuse présentation, je demande :

« Seriez-vous donc, lieutenant, arrière-petit-fils ou petit-neveu du poète français Chamisso ?

— Pour vous servir, mon capitaine, précise-t-il avec quelque emphase, c'était le grand-père de mon propre grand-père. Mais, Dieu me garde, il était allemand !

— Et sur ces corps navrés, lieutenant, savez-vous quelque chose ?

— Oui, mon capitaine, répond-il d'un ton de soldat qui rendrait compte d'une mission à son supérieur. J'ai assisté, du haut de ce mamelon à la scène finale. Le cavalier démonté se traînait dans l'herbe d'une telle façon, douloureuse, que j'ai tout de suite pensé à quelque entorse ou fracture du pied qui lui interdisait de se mettre debout. La jeune dame en chemise blanche — j'avais cru d'abord qu'elle était nue, Dieu me pardonne — s'ébattait dans le lavoir, où elle faisait mine de vouloir nager. Elle chantonnait, elle riait, elle se moquait méchamment de son peu valide compagnon, qui ne répondait rien. Ensuite elle est sortie de l'eau, ruisselante, permettez-moi de dire « merveilleuse », et s'est mise à courir vers les rochers en bordure du bois. Le brigadier, dressé sur un coude, a crié : « Carmina, reviens, Carmina ! » Elle s'est retournée pour le narguer de nouveau, visiblement décidée à s'enfuir. Alors il a saisi son pistolet réglementaire, dont il a fait basculer le chien, et il a dit, en la menaçant du canon braqué sur elle : « Revenez ou je vous casse les jambes ! » Pourtant, il a encore voulu se relever, afin de la poursuivre ; mais c'était toujours en vain, tant son pied le faisait souffrir. La fille a fait quelques nouvelles enjambées, puis, dans une brusque volte-face, elle a hurlé : « Tire donc, impuissant ! » Il a tiré, une seule fois, juste un peu trop haut. Elle s'est écroulée dans un flot de sang. Voyant qu'il ne pourrait même pas ramper jusqu'à elle pour la secourir, le soldat s'est mis tant bien que mal à genoux dans l'herbe. Il a pris sa tête entre ses deux mains et il a répété par trois fois, à voix nette et haute : « Ayez pitié, Seigneur ! » Ensuite, il s'est fait justice... Paix dans le ciel à son âme malheureuse. »

Après quelques minutes de réflexion, je dis :

« Pourquoi n'êtes-vous intervenu à aucun moment ?

— Sur l'honneur, mon capitaine, je ne pouvais combattre un chevalier tombé à terre !

— A quelle distance étiez-vous, pour avoir si bien vu et entendu tout cela ?

— Je me trouvais ici, juste à côté, sur cette butte. Et ils parlaient très fort l'un et l'autre, comme au théâtre.

— Vous étiez donc à découvert... Personne n'a remarqué votre présence ?

— Le soldat blessé regardait dans l'autre direction.

— Ainsi la jeune fille se trouvait-elle tournée vers vous.

— Oui. Cela peut en effet paraître étrange. Elle agissait comme si j'avais été transparent. On dit que les acteurs, sur la scène, ne voient pas le public... Ou bien ses regards sont-ils restés sans cesse dirigés vers le sol, où gisait son meurtrier. Ou bien encore, si elle m'avait vu, pensait-elle que j'allais venir à son secours et protéger sa fuite, puisque je me battais dans l'autre camp...

— Vous ne l'avez pas fait.

— Enlever les adolescentes n'entre pas dans les devoirs d'un officier en campagne », s'exclame l'ange blond sur un ton offensé.

Je viens d'assister à tant de choses surprenantes que ce récit, en dépit de ses lacunes et incertitudes, me paraît relativement plausible. Il l'est bien plus, assurément, que la présence tranquille de ce joli uhlan bilingue et lettré à l'intérieur de nos lignes, dont je croyais la disposition stabilisée dans tout le secteur. Après un assez long silence, celui-ci ajoute, comme à regret :

« J'avais déjà rencontré aujourd'hui — très tôt ce matin — cette belle demoiselle en chemise blanche. Il faisait encore presque nuit, mais l'aube, vers l'est, décolorait largement le ciel. J'ai pensé voir une sylphide qui dansait dans le sous-bois. En fait, nous devions être à proximité d'une chaumière, où la petite habitait, puisqu'elle ramassait des branchettes mortes pour allumer son feu, dans ce léger costume de saut du lit et les pieds nus... Je m'étais perdu, Dieu me pardonne. Elle m'à, de bonne grâce, indiqué mon chemin en allemand. »

Je suis seul désormais. Je ne sais plus depuis combien de temps. Penché vers la surface du lavoir qu'entourent de grosses pierres plates, je contemple les profondeurs liquides parcourues de moirures et de miroitements, comme si d'invisibles poissons s'y déplaçaient de temps à autre en produisant des brusques remous, imprévisibles. La hauteur d'eau atteint certainement plus d'un mètre. Il est possible qu'on y ait à peine pied par endroit. Sa limpidité parfaite, sans nulle trace de vase en suspension ou de végétaux aquatiques à demi décomposés, donne à toute la masse une teinte émeraude, plus ou moins dense suivant la direction du regard, qui évoque aussitôt l'océan et ses chimères. Elle me paraît glacée quand j'y plonge la main.

Tout au fond, bien visible sur les galets arrondis aux couleurs pâles, il y a une chaussure de femme à haut talon en aiguille, d'une pointure très petite, rendue même incroyablement menue par un effet de réfraction. Avec son empeigne triangulaire recouverte de fines paillettes métallisées, bleu de nuit, qui brillent comme

145

des écailles dans la pénombre abyssale, elle ressemble à quelque soulier de bal perdu par une danseuse lasse, qui aurait voulu (dans son rêve ?) reposer ses pieds endoloris à la fraîcheur du torrent.

Sur l'autre rive, en face de moi, s'apanouit tout près du bord une touffe isolée de gloxinie sauvage (probablement *gloxinia marginalis,* R.) dont les élégantes inflorescences, dressées et sveltes, bien détachées de la rosette des larges feuilles coriaces aux fines dentelures latérales vert foncé, se parent de magnifiques clochettes d'un blanc éclatant, étagées sur quinze ou vingt centimètres à la partie supérieure de la hampe, rappelant quelque muguet géant, mais avec plus de grâce, ou bien cet endymion virginal dont fut jadis éprise Séléné.

Une fois de plus, quittant l'énigmatique toile symboliste qui domine mon vaste bureau, j'abaisse les yeux pour retrouver mes brouillons en cours, répandus devant moi.

Mais Henri de Corinthe a maintenant pu rejoindre son ordonnance, demeuré en faction pendant ce temps au carrefour des deux routes incertaines. C'est la voix du soldat qui l'a guidé dans sa marche à travers bois, sous les hêtres centenaires. A sa grande surprise, il se trouvait en réalité tout proche du point de départ, alors qu'il avait cru chevaucher durant des heures infinies, tournant sans doute en rond autour d'une même butte, au cœur aveugle de la forêt. Il est plus étonné encore quand, demandant au soldat pourquoi celui-ci le hélait, il s'entend dire que c'était, comme convenu, en réponse à son propre appel. Corinthe, pourtant, n'a pas appelé, puisqu'il se croyait à une distance de plusieurs kilomètres.

Il veut en tout cas, par politesse envers son subordonné, excuser sa si longue absence. Mais il s'embrouille dans sa phrase et l'homme paraît ne pas comprendre, assurant au contraire à son capitaine que celui-ci venait juste de le quitter : « quelques minutes à peine », affirme-t-il avec tant de naturel que Corinthe en reste troublé. Comme, plongé dans ses pensées, il ne donne en rien les indications attendues concernant le chemin à suivre désormais, l'autre lui demande :

« Avez-vous donc si vite trouvé ces bûcherons, mon capitaine ?

— Non, je n'ai rien trouvé, murmure alors l'officier d'une façon à peine audible. Il n'y avait là, en fin de compte, ni bûcheron ni lavandière. »

Que viennent faire ici des lavandières ? pense le soldat, perplexe. Mais il n'ajoute rien, attendant les ordres, habitué à ne pas toujours saisir le sens exact des paroles que prononce son chef.

C'est à ce moment-là qu'ils ont entendu le coup de feu, qui claquait dans le silence, apparemment très rapproché. Le bruit, à ne pouvoir s'y méprendre, était celui du pistolet réglementaire en usage dans la cavalerie française, en tout cas chez les dragons. Ils se sont regardés sans rien dire et, ne voulant plus s'attarder davantage en hésitations vaines, ils ont repris leur route au grand trot, dans la direction d'où semblait provenir cet inquiétant message.

C'est seulement trois ou quatre jours plus tard que la disparition mystérieuse du brigadier Simon, dit Simon-le-Cœur, a été reconnue officiellement à la division. Corinthe, pour sa part, ce 20 novembre au crépuscule, ne s'était guère entêté plus longtemps dans ses infructueuses recherches, brutalement interrompues — il faut le préciser — par une embuscade ennemie, aussitôt après le coup de pistolet solitaire qui, en fait, devait avoir pour unique raison de l'attirer dans un piège. Contrairement à ce qui lui paraissait établi, des patrouilles allemandes avaient donc pu s'infiltrer à travers la forêt des Pertes. Cette importante découverte compensait l'échec de sa véritable mission, qui n'aurait ainsi, tous comptes faits, pas été inutile.

Ne s'attendant en rien à une telle attaque (un tournant brusque du chemin entre des rochers et de hauts buissons constituaient le lieu, idéal, du guet-apens), le capitaine et son ordonnance ne s'en étaient sortis vivants que grâce à la présence d'esprit de l'officier, jointe à la rapidité de leur riposte dont la vigueur offensive avait mis en déroute les assaillants. Tout étonnés, cependant, de se retrouver indemnes ainsi que leurs montures, les deux Français dénombraient quatre lanciers prussiens qui s'enfuyaient en un galop désordonné à travers bois, tout en poussant d'énormes éclats de rire, auxquels un effet d'écho conférait des résonances caverneuses. Cette fuite soudaine et cette inexplicable hilarité ont rendu Corinthe rêveur.

Mais une seconde mésaventure — encore plus troublante — l'attendait sur le chemin du retour, juste à la tombée de la nuit, qui n'était donc pas encore tout à fait noire, entre loups et chiens très exactement. Il s'avançait au petit trot, suivi par l'ordonnance. Comme ils doublaient un tombereau vide et grinçant, tiré cahin-caha par un vieux cheval sans force, le comte Henri voit tout à coup surgir du bas-côté un paysan d'un âge encore plus vénérable, qui guidait l'attelage sur son flanc droit. Long et d'une effrayante maigreur, il est vêtu d'une stricte vareuse boutonnée jusqu'au col et d'un pantalon étriqué, taillés l'un comme l'autre dans un mince tissu de coton, sombre mais brillant. Sa tête disparaît presque sous un chapeau rond à larges bords, rigide, peut-être moins lorrain que breton.

Il porte sur l'épaule une faux de moissonneur (pour quoi faire en cette saison ?), qu'il brandit soudain avec rage vers le visage de l'officier. Le cheval fait un écart en arrière, qui met l'agressé hors d'atteinte. Mais le vieillard se révèle d'une agilité surprenante, en dépit de ses airs vacillants. On croirait qu'il vole, ou qu'il fait des bonds d'araignée venimeuse. En moins d'une seconde, il est à nouveau contre le poitrail de la bête à la robe blanche et il se rue derechef en pointant son arme de chouan, comme s'il voulait couper la gorge du cavalier, ou du moins lui taillader la figure.

L'ordonnance, estimant à juste titre son capitaine en danger, dégaine un pistolet d'arçon et tire un coup de semonce. Aussitôt le vieillard vindicatif s'effondre en travers de la route, mais dans une curieuse chute progressive, où bras et jambes dessinent en l'air de larges mouvements cabalistiques, décomposés par le ralenti. L'ordonnance saute à terre pour se pencher vers le corps inerte : l'homme est mort sur le coup, apparemment, bien qu'il ne porte aucune blessure visible. Le soldat n'avait-il pas, d'ailleurs, tiré un peu au hasard et sans viser, plutôt pour effrayer le paysan que pour l'atteindre ?

Corinthe remarque, à ce moment-là, que le fer acéré de sa faux est monté à l'envers, sans doute afin de rendre cet instrument rural plus efficace comme halle-barde de combat. Il doit s'agir de quelque habitant des Hurles, devenu fou dans le cataclysme qui a ravagé son village, incapable désormais de faire la différence entre les uhlans et les dragons français. Le vieux cheval, probablement sourd, n'a rien pu percevoir du drame à cause des œillères qui limitent à peu de choses son champ visuel; aussi a-t-il poursuivi seul sa marche exténuée, mécanique, inconsciente, comme si rien ne s'était produit.

Une troisième fois, durant cette même nuit du 20 au 21 novembre 1914, mais au petit jour, la vie du capitaine de Corinthe se trouvera de nouveau directement mena-cée, par une agression volontairement dirigée contre sa personne : une mine à déclenchement par pression verticale, dissimulée sous le cailloutis terreux de la chaussée, l'attend en travers de son chemin. Cette dernière reprise d'un tel acharnement à le détruire aurait dû, en principe, être la bonne. Mais mon père, passant un peu plus tôt sur la même route qui traversait la plaine, a provoqué l'explosion prématurée de l'engin et lui a ainsi sauvé la vie, épisode qui a déjà été rapporté.

C'est donc deux nouveaux amis — qui le demeureront l'un et l'autre jusqu'à la fin de son existence — dont le jeune Henri de Corinthe a fait la rencontre ce jour-là, à quelques heures d'intervalle : Frédéric de Boncourt et mon propre père. Tous les trois étaient d'un âge très voisin, et cavaliers. Boncourt se voulait allemand, un pur Allemand de Prusse; en revanche, c'était un officier d'active, et de vieille noblesse (d'origine française, par surcroît). Tout cela tissait entre les deux aristocrates des liens d'une autre nature, évidemment, que ceux qu'ils pouvaient entretenir, malgré leur absence de morgue et leur flagrante bonne volonté, avec mon roturier de père, modeste maréchal des logis.

Ils se sont revus tout de suite après l'armistice. Mais je crois bien, d'après certains documents extraits de leur abondante correspondance ultérieure (aujourd'hui en majeure partie disparue), que les hasards du front les avaient déjà réunis auparavant plusieurs fois, entre Verdun et les Ardennes, toujours en des circonstances exceptionnelles qui leur permettaient d'échapper un instant aux durs impératifs du patriotisme meurtrier, comme si les rencontres fortuites et répétées entre ces deux vaillants soldats ennemis eussent été placées, dès l'origine, sous les auspices d'un dieu des armes ignorant les aléas dus aux frontières et aux coalitions.

Dès janvier 1919, à cause certainement de son parfait bilinguisme, Boncourt faisait partie d'une commission franco-allemande chargée d'intervenir dans les graves problèmes techniques et humains posés par une trop rapide passation des pouvoirs en Lorraine reconquise. La défaite de son camp n'avait entamé ni sa tranquille superbe, ni le rayonnement archangélique de toute sa personne, encore moins le pacifisme fondamental qu'il éprouvait à l'égard de notre pays. Il avait combattu avec bravoure, et même une espèce d'inconscience (ou de mépris ?) face au danger ; mais il paraissait à présent tout heureux que l'inutile tuerie eût pris fin, même si c'était au prix d'un affaiblissement provisoire de sa propre nation.

Il terminait la guerre comme chef d'escadron, tandis que Corinthe (qu'il retrouvait d'abord chaque semaine dans les bureaux du Comité des forges), de trois ans son aîné, avait acquis les galons de lieutenant-colonel. Papa, de son côté, je l'ai raconté dans *Le miroir,* plusieurs fois blessé à la tête et souffrant encore de lésions internes affectant la tempe et l'oreille gauche, venait de passer quelques mois dans un hôpital de l'arrière, à Donzenac, en Corrèze, et se trouvait alors, grâce à son diplôme d'ingénieur des Arts et Métiers (reçu juste avant la mobilisation générale), à la direction militaire des usines métallurgiques d'Hagondange. On l'avait, pour cette mission, élevé au grade temporaire de sous-lieutenant qui, tout à la fois, flattait son goût intermittent pour l'élégance du costume, choquait son antimilitarisme tenace et favorisait ses succès féminins.

Yvonne Canu (son épouse dès l'année suivante et ma mère deux ans plus tard), cherchant, sitôt les combats achevés, à se rapprocher le plus possible de son cher Odenwald perdu, qu'en fin de compte elle ne devait jamais revoir, avait accepté là une simple place de dactylo et faisait rire ces jeunes guerriers en vacances, qui retrouvaient vite leur humeur joyeuse de collégiens, parce qu'elle portait en bandoulière, comme sac à main, une rude musette de l'armée portugaise, relique pieusement conservée aujourd'hui dans le grenier de Kerangoff, mais que maman gardait encore à l'épaule, naguère, quand nous partions en promenade, avec toujours aussi sur ses cheveux noirs un éternel chapeau de feutre vert, dit « taupé-velours ».

Les histoires, plus ou moins enjolivées par papa, concernant cette période mythique d'Hagondange et de Thionville, abondaient dans le folklore familial, où chacun de nous, à tour de rôle, se moquait des autres membres du clan, avec une insistance bouffonne et déraisonneuse qui n'excluait en rien la tendresse, ni le

152

sentiment profond de solidarité. Mais, dès que le nom de Corinthe apparaissait comme par mégarde au détour d'une anecdote, une coupure se produisait, incompréhensible. J'ai déjà parlé longuement de ces soudains silences, de ces failles béantes qui ont fort troublé ma petite enfance et toute ma jeunesse, car je m'étais vite aperçu qu'une sorte de tabou interdisait mon admission dans ce domaine-là, trop bien gardé pour être innocent, où il m'a fallu ensuite des années de recherches laborieuses, tâtonnantes, seulement pour reconstituer tant bien que mal quelques voies d'accès, puis divers cheminements possibles.

Dans la commission d'armistice que je viens d'évoquer, Corinthe et Boncourt s'étaient donc retrouvés, presque sans surprise. A l'occasion de ce travail commun et pour la première fois, leur amitié pouvait s'épanouir en toute quiétude, souvent depuis le matin jusque tard dans la nuit, au lieu des improbables et fugitives éclaircies trouant çà et là l'orage, dont ils avaient dû se contenter jusqu'à présent. Dès ce moment, je crois, lors des longues conversations privées qui occupaient leurs loisirs, ils ébauchaient le projet d'une future communauté fraternelle, faite des soldats allemands et français réunis, dans le but immédiat d'une rapide réconciliation des deux peuples rivaux, qui gaspillaient en vains affrontements leur sang et leurs richesses, mais dont aussi les espoirs plus lointains visaient à l'unification politique et militaire des deux pays, suivie bientôt, sous leurs forces conjointes, par le rétablissement depuis Brest jusqu'à Königsberg du vieil empire de Charlemagne, où se rangeaient également Catalogne et Lombardie. La perfide Angleterre n'aurait plus qu'à bien se tenir. Et l'on prévoyait déjà que serait un jour ou l'autre nécessaire une vaste croisade contre le bolchevisme...

Une dizaine d'années plus tard, la prise du pouvoir par Hitler devait mettre un terme à ce beau programme. Boncourt, qui pouvait se sentir attiré par certains aspects du national-socialisme, éprouvait en tout cas une hostilité violente aux idéaux racistes du régime naissant. S'il ne détestait pas les idées d'élite, et même de surhommes, lui paraissait dérisoire en revanche toute tentative pour en lier l'intelligence ou les qualités morales à la couleur de leurs cheveux et à la forme de leurs mâchoires. Son éclatant physique de bel aryen blond lui permettait en outre de ricaner en évoquant le faciès plus ou moins auvergnat ou sémitique de certains dignitaires du parti, sans même parler de leur petit et tonitruant Führer.

La difficile question de l'art, du théâtre, de la littérature, le trouvait également dans un désaccord total avec les professions de foi nazies. L'illusion qu'il pût y avoir des œuvres « saines » (celle d'Arno Brecker, par exemple) dont on opposerait la vigueur réconfortante à un art bourgeois malade et décadent — théorie commune à Hitler, à Staline et à tous les fascismes, même larvés — représentait à ses yeux une dangereuse aberration. Autant accuser tout de suite Aristote et Sophocle d'avoir démoralisé la Grèce. L'art, comme aussi toute pensée spéculative, ne peut vivre que dans une mise en question permanente du monde, une volonté subversive qui ne saurait évidemment s'accommoder de canons officiels. Leur rôle politique n'est pas d'endormir l'individu ou la société, mais plutôt de leur donner des cauchemars. Ici, comme en maints autres domaines, Boncourt rejoignait

Corinthe et son principe du héros négatif, selon lequel tout créateur véritable devenait par force un criminel vis-à-vis de la loi, parce que le crime était le moteur même de son projet.

Même sans aller jusqu'à souscrire aux déclarations que, dans son récent récit, Jacques Henric prêtait au grand Rodin : « Plus un être est laid dans la nature, plus il est beau dans l'art », affirmation d'ailleurs démentie par le célèbre *Baiser,* il serait en tout cas difficile de prétendre limiter les arts plastiques, le cinéma, l'écriture, à la seule représentation des jeunes athlètes aux chastes corps glorieux que l'Allemagne admirait alors dans les films de Leni Riefenstahl. Il en va de même, répétons-le une fois de plus, pour la bonne santé morale en littérature et pour les bons sentiments, socialistes ou autres.

Frédéric de Boncourt comptait parmi les nombreux admirateurs d'un peintre allemand, renommé à l'époque mais bientôt jeté au dépotoir par les S.A., qui se trouvait être un parent éloigné des Corinthe de France : Lovis Corinth (1858-1925), dont la famille, elle aussi, était prussienne d'adoption, ayant dû fuir des persécutions religieuses sur les rives catholiques du Danube. Cette lignée germanique avait depuis longtemps supprimé la voyelle finale, muette, du patronyme, ainsi que la particule nobiliaire dont le signifiant perdait son sens dans la langue de Goethe. J'ai déjà signalé ce phénomène fréquent (vers la fin des *Souvenirs du triangle d'or,* si j'ai bonne mémoire) à propos de la branche anglo-saxonne, devenue Corynth, qui avait quitté notre pays depuis plus longtemps encore et pour des raisons fort différentes, avec le duc bâtard Guillaume de Normandie.

Lovis Corinth, dont la touche se situe d'une manière assez curieuse au carrefour de l'expressionnisme allemand et de l'impressionnisme français, est l'auteur d'une accumulation d'autoportraits anormalement considérable, dont on peut à l'heure actuelle admirer l'un des plus inquiétants (daté de 1912) dans un joli musée de la Cologne reconstruite. Il s'agit d'une peinture à l'huile, mais pour ainsi dire en noir et blanc, à l'exception toutefois des petits amas de couleurs vives qui bordent l'image précise de sa palette, comme si l'artiste tenait à bien marquer la différence entre la coloration du monde, dit réel, et les teintes que lui-même emploie pour le représenter. On lui voit, sur cette toile, exactement le même front dégarni, un peu fuyant, les mêmes yeux hallucinés profondément enfoncés dans leurs orbites, et la lourde moustache tombante qui caractérisaient le comte Henri vers la fin de son existence.

Je possède une photographie (sans date) de ce dernier, où dans une posture identique — le buste de profil, mais le visage tourné de trois quarts vers l'appareil et son regard sombre fixant l'objectif — il ressemble d'une façon si parfaite à son lointain cousin brandebourgeois que n'importe qui s'y tromperait. Je l'ai d'ailleurs fait moi-même lorsque je suis tombé par hasard sur ce tableau troublant (diabolique ?) au musée Wallraf-Richartz de Cologne, sans en connaître l'auteur ni le modèle. J'ajoute que, sur la photo, Corinthe porte une vieille vareuse militaire dont il a relevé le col, comme l'a fait aussi le peintre pour sa veste de toile, qui me paraît d'une coupe très voisine.

Le même Corinth, apparemment obsédé sa vie durant par son propre personnage, a en outre écrit une grosse autobiographie, publiée en 1926 (près d'un an après sa mort) aux éditions Mirzel de Leipzig. Il n'en existe

156

malheureusement aucune traduction française, à ma connaissance du moins. Thomas Corinth, fils de Lovis, vivait à New York, où je l'ai rencontré dans les années 70, lors d'un de mes séjours universitaires trisannuels. Il a publié en allemand, à Tübingen (1979), une documentation très complète sur la saga paternelle, et en anglais, au Museum of Arts d'Indianapolis (1975), un remarquable catalogue de son œuvre graphique.

J'étais au mois de juin à l'université de Kiel, dans le Schleswig-Holstein, en compagnie de François Jost. Celui-ci m'y a rapporté de Hambourg (une petite heure de train, l'ancien musée de peinture, restauré, étant comme autrefois contigu à la gare centrale) l'inattendue reproduction en carte postale d'une huile plus colorée, peinte en 1906 par cet artiste passionnant trop peu connu en France. Sous le titre *Après le bain,* elle montre une jeune fille assise sur un rocher dans une sorte de sous-bois touffu, au dessin brouillé. Vêtue seulement d'une vague chemise blanche à demi défaite, elle est en train de remettre sa chaussure gauche, un soulier de bal au fin talon pointu, dont l'empeigne triangulaire a l'air garnie de paillettes métallisées, d'un bleu intense. Sous elle, du côté droit (donc vers ma gauche), s'étend une large tache rouge vif, comme du sang frais. On ne comprend pas bien ce que cela représente.

C'est justement, je crois, son goût pour le sang répandu et les chairs mortifiées que les nazis reprochaient à Corinth, lequel aurait affiché, selon eux, une complaisance morbide pour les blessures à vif, les animaux écorchés, les abattoirs et la boucherie. L'idéologie à double face du N.S.D.A.P. s'avouait en somme plus sourcilleuse concernant la figuration des massacres que s'il s'agissait simplement de leur réalisation.

Ne m'a-t-on pas moi-même accusé, à mon tour après bien d'autres, et cette fois dans la presse de tous bords d'une démocratie parlementaire, de m'appesantir avec une gourmandise très suspecte sur la description de cachots sadiens et de supplices variés (si l'on peut dire), sexuels de préférence et pratiqués sur des jolies filles plus ou moins adolescentes ? Puis-je donc profiter de l'occasion qui m'est offerte ici pour exposer ma conception de ce délicat problème ?

Le lecteur pressé qui s'intéresserait exclusivement, dans le présent ouvrage, au roman de chevalerie, à supposer qu'il n'ait pas déjà depuis longtemps refermé son volume, peut toujours sauter, maintenant, le passage qui suit. L'index qui occupera (qui occupe) mes dernières pages lui permettra même de le faire sans difficulté : cet amateur de joutes et de cavalcades y trouvera tout de suite l'endroit du texte où il doit reprendre, si toutefois les demoiselles éplorées, les palefrois et les armures y reparaissent jamais, ce dont je ne suis pas encore certain à l'heure actuelle. Sait-on où la structure d'une telle tapisserie peut, ou non, vous entraîner ?

Commençons, vaillamment, par le premier reproche, tout entier résumable dans ce seul terme de « jolie fille » que je viens d'employer. Il serait déjà honteux, si je comprends bien, en dehors des moindres sévices ou tortures (dont je parlerai ensuite), de montrer — à l'écran, sur le papier glacé des albums ou dans le texte des romans — l'image d'un certain type d'individu féminin, caractérisé en gros par sa jeunesse, sa perfection plastique (lisse, galbée, fragile) et surtout par son attrait sensuel. Une jeune femme désirable, et pouvant paraître constituée principalement en vue d'éveiller le désir, c'est ce qu'on appelle une « femme-objet », supposée n'avoir d'existence que sous le regard de l'homme, ou en tout cas s'y refléter avec trop de complaisance. Aimer séduire par ses charmes (pour une fille), aimer jouir de cette séduction ou — pire encore — la représenter (pour un homme), voilà bien le péché irrémissible, voilà l'horreur !

Ne me dites pas que je livre ici un combat d'arrière-garde : le petit milieu new-yorkais, le petit milieu parisien, où le féminisme militant est certes passé de mode, ne sont pas le monde entier, croyez-moi. Et, tout près de nous, les multiples capitales allemandes en connaissent toujours la virulence, à peine atténuée par rapport aux années 70. Le professeur Nerlich, de l'université de Berlin, a même subi, il n'y a pas si longtemps et malgré sa haute position au sein du système, de graves tracas académiques pour s'être permis d'écrire, dans la revue *Lendemains* éditée sous le label des études romanistes, un article favorable aux textes que j'avais publiés en regard des photographies du jeune David Hamilton, à l'époque d'ailleurs où celui-ci était quasiment inconnu du grand public. Et cet été encore, à Berlin-Est cette fois, les mots d'ordre répressifs ayant allègrement franchi le mur, on m'a fait rentrer sous terre d'une seule phrase en me jetant à la face une aussi impardonnable collaboration.

Dès la fin des années 60 et durant une décennie entière, c'est-à-dire au moment où — de l'autre côté de l'Atlantique — les étudiantes d'N.Y.U (prononcez *ennouaillou*) et de l'U.C.L.A. (ne prononcez pas *ucla*) se coiffaient, s'attifaient, se comportaient de façon à paraître aussi moches que possible, sinon un peu plus, j'ai

159

connu à Paris plusieurs ravissantes starlettes (dont certaines ensuite ont fait carrière) qui, d'une manière comparable, semblaient souffrir profondément de leur éclat juvénile. Selon leurs fréquents aveux, elles rêvaient de s'enlaidir, voire de se défigurer. Cela devait constituer, à leurs yeux, une sorte de punition qu'il fallait infliger au sexe masculin (à ses regards, à ses tendres sourires, à ses avances), mais aussi un indispensable moyen pour épanouir leur propre personnalité naissante, à quoi trop de grâce portait ombrage.

Evidemment, je n'ai jamais été moi-même une jolie fille et je ne puis donc me rendre compte, ni du traumatisme intérieur que cela cause, ni du handicap que cela représente dans notre société. Néanmoins, quand on a choisi la carrière d'actrice, il serait honnête de ne pas nier l'atout qu'un tel physique aussi recherché dans les salles obscures peut vous assurer, ne serait-ce que pour vos débuts ; si vous avez en outre des qualités moins immédiatement perceptibles, plus « profondes » (?), l'occasion vous sera du moins offerte, par ce biais, de les faire bientôt reconnaître.

Enfin je vois mal, quant à moi, comment l'on pourrait m'accuser d'avoir dénié aux jeunes femmes le privilège de briller ou de s'affirmer sur d'autres plans, et d'une tout autre manière. L'héroïne en particulier de mon roman le plus connu, le plus lu aujourd'hui, le plus étudié à travers le monde, *La jalousie,* serait là pour témoigner du contraire. Et l'on m'accordera aussi, j'espère, mon absence de tout sexisme en matière de littérature : lorsque j'ai voulu regrouper aux Editions de Minuit, sous l'appellation vague mais qui a fait fortune de Nouveau Roman, les écrivains dont l'œuvre me paraissait la plus forte et la plus novatrice en ce milieu du siècle, j'ai aussitôt inscrit en tête de liste (même si c'était, peut-être, à leur corps défendant) les noms de Sarraute et Duras, aux côtés de Pinget ou Simon. Peu de mouvements littéraires doivent, jusqu'à ce jour, se vanter d'une telle égalité intersexuelle.

Mais revenons à Hamilton, au timide et gentil Hamilton, devenu si curieusement une gloire mondiale et la bête noire des Berlinoises de choc. Comment ses mièvres jeunes filles vaporeuses, exangues, déjà « rétro » avant la lettre avec leurs voiles blancs flottant dans la brume et les capelines translucides protégeant leur teint de pastel contre un soleil pourtant bien pâle, comment ces elfines désincarnées ont-elles pu à ce point exciter l'ire des bataillons punitifs ?

J'avais pour ma part été fort séduit par le garçon, lorsqu'il s'était présenté, avec un projet d'album sous son bras, dans le minuscule bureau que j'ai occupé pendant une vingtaine d'années, deux jours par semaine puis de façon plus sporadique, rue Bernard-Palissy, accolé à celui — directorial quoique tout aussi austère — de Jérôme Lindon. On raconte que, juste avant nous, quand la maison remplissait encore ses fonctions de bordel (Martin du Gard, qui habitait rue du Dragon, en parle dans ses Mémoires), mon prédestiné cagibi était celui du voyeur...

David H., voyeur de profession lui-même, semblait un frère jumeau de ses diaphanes héroïnes : blond également, d'une distinction très nordique, muet d'ailleurs comme elles, il se déplaçait sans faire le moindre bruit, sans même avoir l'air de bouger... Je me suis aussitôt décidé à en faire, parmi son harem onirique d'adolescentes intouchables, l'un des personnages qui flottent comme des ombres à travers les temples en ruines, les prisons et les lupanars de cette cité fantôme dont je me trouvais en train de rédiger la *Topologie*.

Avec le recul, aujourd'hui, il faut en tout cas créditer son talent — un peu mièvre et timide à son tour, quant à l'esthétique — d'un exceptionnel pouvoir d'identification, dont l'intérêt sociologique est aussi incontestable qu'universel, sinon l'on ne trouverait pas ainsi ses œuvres reproduites à des millions d'exemplaires, livres, affiches ou cartes postales, de Berlin à Valparaiso et Ushuaia, d'Osaka jusqu'à Melbourne, de Paris jusqu'à Landerneau. Sa clientèle, dit-on, serait essentiellement féminine, ce qui aggrave sans doute son cas d'agent démoralisateur au service de la phallocratie internationale, mais permet en même temps à ses images douceâtres, aseptisées, inodores, de servir pour la publicité des crèmes antirides, des lotions adoucissantes et des tampons vaginaux périodiques.

J'avais, bien entendu, dans les textes que j'écrivais en parallèle, tiré insidieusement tout cela, au grand étonnement silencieux du photographe, vers le sado-érotisme, la folie et le cauchemar. Un tel détournement, hélas, n'entraînait en rien mon pardon, mais redoublait au contraire mon propre crime : non seulement je prêtais mon nom d'écrivain reconnu à l'exhibition de jolies filles insignifiantes plus ou moins déshabillées, mais par surcroît je rêvais en catimini de voir couler leurs larmes et leur sang. Sur ce dernier point, nous allons revenir un peu plus tard.

Je voudrais d'abord essayer de comprendre mieux, de cerner en termes plus précis, pourquoi le doux Hamilton est déjà jugé coupable. Je crois que c'est justement pour cette absence des rides sur les visages, comme de tout avachissement ou dégradation sur les corps. A l'empire immense de la ride (empire des signes du déclin, de la mort qui vient et s'installe en nous peu à peu, à notre insu, du poids sur nous de toutes les fatalités trop humaines) s'oppose ici le royaume du lisse, de l'inentamé, vierge et immarcescible. La ride, en un mot, serait la garantie du bon vieil humanisme, l'inscription du temps sur l'être.

Contre ces pleurnicheries traditionnelles, voilà donc qu'à notre propre surprise les frêles et romantiques sylphides photographiées par David H. rejoignent les sportives aux seins de fer filmées par Leni Riefenstahl, dont j'avais un peu plus haut convoqué le souvenir. Une différence pourtant — et de taille — les en sépare : leur vulnérabilité. Elles sont lisses, mais fragiles. Comme leurs sœurs germaniques, elles possèdent un galbe impeccable, mais fait sur un autre modèle : ce sont des lianes, et non plus des Walkyries.

Vers cette même époque où j'avais ainsi épaulé le novice Hamilton pour ses deux premiers albums parus chez Robert Laffont, qui ne voulait pas de photos sans texte littéraire (il y a belle lurette que D. H. n'a plus besoin de tels parrainages !), Franco-Maria Ricci réalisait une édition à tirage très limité, sur papier de luxe à grand format, de la bande dessinée réservée aux adultes que Guido Crepax avait tirée d'*Histoire d'O*. Désirant pour ce volume exceptionnel deux préfaces conjointes, il me demandait l'une, l'autre à Roland Barthes.

Il suffit de survoler au hasard les illustrations de l'Italien pour que saute aux yeux une transformation essentielle apportée au texte de Pauline Réage. Car celui-ci, on s'en souvient, était délibérément — et avec

163

quelle splendeur — une histoire d'âme. En dépit d'un début tranquille, presque quotidien, et d'un double artifice (initial et final) qui semblait mettre toute l'aventure à l'intérieur d'une subtile parenthèse d'imaginaire, le roman, suivant les lois du *vrai-semblable* causal et chronologique, entrait bientôt sur les voies conjointes de la psychologie des profondeurs, de l'illusion réaliste et du sentiment tragique de la vie. Les dessins de Crepax optent au contraire, sans que l'on puisse s'y méprendre, pour une agressive modernité : plus de profondeur ni d'humanisme, avec les tourments de l'âme ont disparu jusqu'aux marques du temps.

L'effet tout d'abord est sensible sur les corps, figurés « à plat » selon la meilleure règle du genre. Les protagonistes, leurs visages, leurs gestes sont devenus un jeu d'images, où l'imagination désigne elle-même du doigt son artifice et sa liberté. Alors que Pauline Réage avait pris soin de rapprocher de nous sa vaillante héroïne par d'à peine perceptibles signes d'usure ou menues défaillances physiques (tous ces détails anthropo-mortels qui séparent de son modèle le marbre grec), voilà qu'ici les seins un peu trop lourds, ou les traits qu'une légère fatigue déjà rendait plus émouvants, se trouvent soudain remplacés par les fermes lignes noires dépourvues de la moindre bavure, du moindre tremblement, qui délimitent des surfaces de chair à la perfection abstraite, sans passé, sans lassitude possible, dure et lisse pour l'éternité.

Quant aux profonds sillons qui marquent cependant les figures d'hommes (comme celle aussi d'Anne-Marie, bien entendu), leur fonction adjective les oppose radicalement à ces petites rides féminines si chères aux humanistes, de Françoise Sagan à Ingmar Bergman. Loin d'être l'indice précurseur du vieillissement et de la mort qui guette les corps périssables, ce sont au contraire des traits roides, burinés dans la même pierre blanche de Paros où sont sculptées les fesses polies des filles et leurs seins miraculeusement hémisphériques ; eux aussi sont là, tels quels, pour toujours. La virilité se porte marquée, comme la féminité se porte lisse ; l'une et l'autre sont d'une même solidité à toute épreuve, immobiles et intemporels.

Tandis que le monde de Pauline Réage est celui où chaque chose — et l'amour aussi — va irrévocablement vers sa déchéance, son ramollissement, sa ruine, l'univers de Guido Crepax est, à la lettre, inusable. Comme régi par un invisible démon de Maxwell, il ignore la loi de l'entropie. Une conséquence capitale en découle aussitôt : l'activité sado-masochiste, dans cette mutation, change de limites, et de dénouement. Les chairs de la victime sont aussi intactes à la fin du supplice que le désir de son maître. La trace du fouet, calligraphiée du même pinceau divin (diabolique) qui fait les signes idéels, disparaît d'un seul coup au changement de case, car ce lieu de la pureté totale — donc de l'instant — ne peut être que discontinu. Et le cri de douleur n'y est plus que quelques lettres encerclées par une bulle, immobilisé à son tour dans la même blancheur, la même fixité, immortel et transparent comme une note de musique.

De bons esprits s'étaient plaints, jadis, qu'O fût une esclave, une femme objet, dans un récit où pourtant, au même titre que son compagnon — sinon davantage — elle était de toute évidence le sujet d'une quête. Cette fois-ci, l'une comme l'autre, l'image de la femme et l'image de l'homme sont devenues de purs objets, c'est-à-dire le contraire même de ces « personnages » romanesques dont l'épaisseur est peinte en trompe-l'œil. Au monde de l'espoir désespéré qui finit par se soumettre à sa condition tragique succède le ciel, ludique, de l'esprit-roi, qui sera celui de l'éros futur.

J'écrivais donc ces lignes, il y a peut-être une quinzaine d'années, pendant la période en quelque sorte jusqu'au-boutiste de ma propre foi militante. Volontairement dépourvue de nuances ou de doute, elle présentait le double avantage — à mes yeux — d'assurer avec vigueur mes positions stratégiques et de mettre en rage mes ennemis. Dans les œuvres elles-mêmes, il en allait bien sûr tout autrement : mes écrits « théoriques » — je l'ai souligné dès ce moment-là aux réunions qui se tenaient à Cerisy entre gens du même bord — n'avaient aucunement pour moi valeur de vérité, encore moins de dogme, mais plutôt de lance et d'armure, ou d'aventureux échafaudage, destiné un jour ou l'autre à disparaître, ce qui m'a tout de suite séparé de mon ami Ricardou.

Il y avait cependant un risque. Ce sont des phrases peu précautionneuses du genre « l'image de l'homme est devenue un pur objet » qui ont fait croire à des lecteurs rapides (et malintentionnés, sans aucun doute) que l'homme lui-même, et non plus seulement son image, devait être par l'art moderne transformé en chose, en simple matériau de construction, neutre, stable et lavé. Mon panégyrique de la bande dessinée — genre que je pratique peu et qui, le plus souvent, me lasse vite — comportait à l'évidence quelque provocation, comme si Crepax ou Garnon représentaient la fine pointe de l'art contemporain, alors qu'ils en sont davantage d'excellents compagnons de route.

Ayant signalé l'impact, la nécessité polémique, me permettra-t-on d'appeler aussi humour cette différence radicale que j'ai toujours faite entre mes romans et films d'une part, et d'autre part mes articles de combat ? L'humour, dit Marx, c'est la distance que j'entretiens entre l'idéologie à double face qui me conditionne et mon propre discours. Et Freud répond : l'humour, c'est mon rapport imaginaire, en même temps que symbolique, à ma propre mort.

Ainsi ma vaillance anti-humaniste, qui rayait allègrement le déclin et la mort d'un trait de plume, ne s'accompagnait pas volontiers alors de sa nécessaire antithèse, qu'il fallait rechercher seulement dans mes œuvres de création. Je ne peux pas dire que je le regrette. Comme je l'ai fait remarquer à Pierre Boulez (terroriste souriant, lui aussi, d'une remarquable efficacité didactique) lors du récent colloque organisé au Centre Pompidou par Umberto Eco, le simplisme vertueux, angélique, de nos discours théorisants des années 55 à 75, tout en créant des malentendus graves dans le public, a d'autant plus largement contribué à leur diffusion. Mais à quoi bon, direz-vous, diffuser des malentendus ? Eh bien, parce qu'il est probablement impossible de divulguer autre chose concernant les œuvres fortes au moment de leur parution, à cause de leur nouveauté trop abrupte et à cause de leur complexité, de leurs contradictions internes. Il n'y a pas de bien-entendu, dit-on en informatique, en dehors de ce que savait déjà le destinataire du message, ou du moins ce dont la probabilité était déjà très forte pour lui.

Plus un message contient d'information, c'est-à-dire de choses ignorées ou même insoupçonnables par son destinataire, moins sa signification lui paraîtra évidente. Et Wiener lui-même qui, dans ses débuts, pouvait confondre en toute tranquillité la signification du message avec l'information qu'il véhicule, a vite perçu la difficulté : la quantité d'information contenue dans un message est directement proportionnelle à l'improbabilité de l'événement qu'il annonce, c'est-à-dire qu'elle est d'autant plus grande que l'événement annoncé était moins probable pour celui qui reçoit le message ; alors que celui-ci comprendra le message d'autant mieux que l'événement annoncé sera, au contraire, plus probable. Si bien que Wiener conclut bientôt par cet apparent paradoxe : un message aura d'autant plus de signification pour son destinataire qu'il contiendra pour lui moins d'information, et réciproquement.

Pour reprendre cette terminologie commode, je dirais que mes romans ou mes films — comme toute œuvre nouvelle à son surgissement — apportaient trop d'information aux critiques académiques et à leurs fidèles, ce qui les rendait à la lettre incompréhensibles. Je devais donc compenser cette coupure entre eux et moi par un excès de signification dans mes brefs essais théoriques. Cette signification claire, schématisée, presque squelettique, c'était tout bonnement l'envers des idées reçues par l'idéologie narrative au pouvoir. Par un lecteur qui en connaissait si bien l'endroit, l'envers pouvait être aussitôt reconnu. Mes romans n'étaient pas « lisibles » (ils le deviennent ensuite peu à peu), mais les essais critiques de *Pour un nouveau roman* le seront de façon immédiate, puisque tout lecteur y distinguait sans mal « les oripeaux de l'ordre ancien », dont on leur faisait voir à présent la doublure. Certes, il la jugeait choquante, mais il en percevait très bien l'agencement.

Mes incontestables succès de conférencier international, déjà sensibles dès l'époque où pourtant personne ne parvenait à lire mes récits, n'ont pas d'autre origine. Un soir, je me rappelle, un auditeur naïf s'en est étonné publiquement à la fin d'une causerie, croyant faire rire la salle : « Comment se fait-il que vous parliez si bien, alors que vous écrivez si mal ? » Il comprenait parfaitement mon discours, tandis que mes romans lui paraissaient illisibles. Je lui ai répondu qu'il avait en un sens raison, mais que sa notion du bien et du mal opposait précisément la spéculation logique à l'écriture littéraire, criminelle par nature.

A propos de cette alors scandaleuse *Histoire d'O,* dont l'étonnante vogue aux odeurs de soufre entraînait dans son sillage films et bandes dessinées, une petite anecdote personnelle me revient en mémoire. Catherine, très peu de temps avant notre mariage au mois d'octobre 57, avait publié chez Minuit, sous pseudonyme pour ne pas y mêler le nom de ses parents, un joli récit érotique, bref et net, qui s'appelait *L'image,* fort influencé par mes propres goûts sexuels, mais sans doute aussi par le roman de Pauline Réage et d'ailleurs dédié à celle-ci. J'avais moi-même écrit une préface, froidement signée du nom désormais illustre de cet auteur clandestin à l'identité problématique.

Jérôme Lindon, amicalement complice, qui jouait aux boules tous les dimanches matins avec Jean Paulhan, sous les fenêtres de celui-ci aux arènes de Lutèce, lui annonce entre deux parties (si l'on voulait rester dans ses bonnes grâces, il fallait le laisser gagner, mais avec adresse), comme une petite chose qui pourrait l'amuser, cette préface que Pauline Réage venait censément d'envoyer aux Editions. Paulhan cache mal sa surprise incrédule, et son désagrément (*Histoire d'O* étant poursuivi par la justice sans avoir d'auteur avoué, le pseudonyme ne se trouvait protégé par aucune législation et pouvait servir à n'importe qui). Il dit : « Prêtez-moi donc le manuscrit et je m'arrangerai pour savoir ce qu'il en est au juste. » Le dimanche suivant, il rend sa sentence : le livre lui-même a de grandes qualités, mais la préface est stupide et seul un médiocre imposteur peut l'avoir écrite !

Malgré ses conseils, nous avons maintenu la préface, où j'affirmais que, dans ce type de relations sado-masochistes, c'est la victime et elle seule qui maîtrise le jeu, conduit son déroulement, assure sa réussite ou son échec. Mais, pour montrer ma bonne volonté envers une éminence grise des lettres à qui je devais beaucoup, et que je tenais en grande estime en dépit de sa susceptibilité ombrageuse ou autres menus travers (il détestait qu'on lui joue des tours que, cependant, il adorait faire aux autres), j'ai remplacé en fin de compte le nom litigieux par ses initiales P.R., ce qui dans mon esprit signifiait, par exemple, Paul Robin. Paul est mon second prénom, légué suivant la tradition par mon grand-père et parrain, Paul Canu.

Sans respecter notre décision tardive, plusieurs éditeurs étrangers ont rétabli le nom intégral de Pauline Réage, en particulier l'américain Barney Rosset qui venait de publier *Histoire d'O* contre la censure de son pays et récidivait avec *L'image,* sous une couverture identique et austère, mais inversée : noire au lieu de

170

blanche. Dans un récent numéro de la revue universitaire berlinoise dont j'ai parlé un peu plus haut, *Lendemains,* le professeur Siepe, responsable en outre de l'édition scolaire allemande de *Djinn* et fin connaisseur de mes petits travaux, a d'ailleurs prouvé par une analyse textuelle précise que je suis en fait le véritable auteur, dissimulé sous des pseudonymes l'un comme l'autre transparents, à la fois de *L'image* et d'*Histoire d'O.*

Le roman de Catherine a tout de suite été interdit — totalement — par la censure de Michel Debré. Jérôme a dû en brûler quelques exemplaires noués d'une faveur rose devant un officier de justice, pour éviter des poursuites en cas de diffusion prohibée. Il avait déjà — disait-il avec raison — assez d'ennuis sur les épaules à la suite des nombreux documents qu'il éditait concernant la sale guerre, en Algérie, auxquels il n'était pas près de renoncer malgré les coups répétés qui s'abattaient sur lui : inculpations, amendes, saisies, menaces de l'O.A.S. et même une bombe à son domicile personnel. Il craignait d'affaiblir sa position morale en ouvrant ce second front, sur un terrain où il se sentait peut-être moins à l'aise. Ni Catherine ni moi ne désirions non plus l'épreuve de force.

En revanche, sur l'instigation — je crois — de Maurice Le Roux, musicien et chef d'orchestre très officiel, un haut personnage gaulliste dont je tairai le nom (il est devenu un homme politique trop en vue), qui appartenait au cabinet élyséen du Général, s'est alors amusé à faire porter dans Paris, pour quelques privilégiés, les volumes qui avaient échappé au bûcher inquisitionnaire, comme si c'étaient des plis officiels, par deux motards de la présidence en grand uniforme.

L'image n'est reparu que bien plus tard. En Italie et en Allemagne, les tribunaux l'ont poursuivi et condamné pour atteinte aux bonnes mœurs aggravée d'incitation à la violence, ainsi que — outre-Rhin — d'offense à l'honneur des femmes. Dans le paradis des sex-shops et des eros-centers, le lobby féministe demeurait tout puissant. En France, les bonnes mœurs ayant évolué assez vite, le livre figure aujourd'hui dans la plus populaire des collections au format de poche. Un organisme de ventes massives par correspondance, astreint par définition à ménager les bien-pensants qui constituent le gros de sa clientèle, n'a pas craint non plus d'en imprimer sans coupures quelques dizaines de milliers supplémentaires, au moment de la sortie chez Grasset du second ouvrage, antobiographique celui-là, signé par le même auteur. *J'ai lu* et *France-Loisirs,* Michel Debré doit se retourner dans son lit !

Le gouvernement de Gaulle entretenait d'ailleurs des rapports ambigus avec les intellectuels contestataires. Peu de temps après, en pleine persécution contre les signataires du manifeste des 121, préconisant l'insoumission en Algérie, je recevais une lettre personnelle d'André Malraux (il en avait écrit de semblables, je pense, à plusieurs de ces parias que nous étions devenus pour avoir « tiré dans le dos de l'armée française ») m'assurant qu'en dépit des apparences, et des vents contraires, je pouvais compter sur lui avec une entière confiance, dans tous les domaines où son soutien se révélerait utile. J'ai pu constater tout de suite que ce n'était pas là paroles en l'air.

Dès le mois suivant, en effet, une commission du Centre national du cinéma qui accordait, ou non, les précieuses avances sur recettes — commission où je croyais ne compter que des amis — refusait à l'unanimité mon premier projet de film, *L'immortelle*. La commission hostile n'étant en théorie que consultative, je lançais aussitôt un appel au ministre. Par retour du courrier, Malraux me garantissait l'indispensable avance en termes chaleureux. Je lui dois ainsi d'avoir pu entamer sans attendre ma troisième carrière, cinématographique, s'ajoutant alors au roman qui succédait lui-même à l'agronomie.

L'immortelle était un film intéressant, très ambitieux, mais souvent mal dominé. Il s'agissait, contre toutes les règles admises dans le cinéma de fiction, d'instituer le plan comme unité narrative, et non plus la séquence. Les divers paramètres du plan (la taille du comédien et sa position dans l'image, son mouvement, le mouvement de la caméra, le passage d'un comparse ou d'un véhicule, la lumière, etc.) donnaient lieu à des séries, à des parallèles, à des oppositions et à des raccords qui ne devaient plus grand-chose à la continuité spatio-temporelle.

Notre ambassade à Ankara, sous l'impulsion d'un premier conseiller frondeur, estimant peu explicite la circulaire ministérielle secrète, consacrée aux sanctions tortueuses qu'il convenait de faire subir aux 121 de passage, m'a au contraire favorisé les choses au maximum (la grande maison de bois sur le Bosphore, qui joue un rôle capital dans le scénario, est même une résidence d'été des ambassadeurs, prêtée gracieusement à la production). Mais les difficultés du tournage à Istanbul, au milieu d'une équipe de techniciens français chevronnés, gardiens de la loi et fiers de l'être, ont été

173

considérables. Quant au résultat final, il ne me semble pas toujours convaincant, le jeu des signes iconiques et sonores sur lesquels reposait toute la structure du montage, n'étant pas assez nettement perceptible, dans bien des cas, par un spectateur à demi attentif. Néanmoins, dès la copie standard, le prix Louis-Delluc m'a été décerné, c'est-à-dire la plus haute récompense pour un cinéaste débutant, peut-être simplement parce que j'étais à la mode.

Mais, dans un renversement contradictoire qui caractérise assez bien le crédit litigieux dont je disposais au début des années 60, la sortie du film — quelques semaines plus tard — n'a pas été bonne, et la presse franchement exécrable. Je me rappelle en particulier un papier sanglant dans *Le Monde,* où Baroncelli, qui avait voté pour moi au Delluc et publié dès le lendemain une chronique enthousiaste, m'abandonnait cette fois (paresseusement ? lâchement ?) à la douce Yvonne Baby dont c'est une litote de dire qu'elle ne m'aimait guère. Par une coïncidence amusante figurait dans le même numéro du quotidien, mais aux pages littéraires, un compte rendu très élogieux consacré à l'essai de Bruce Morrissette sur mes premiers romans, qui avaient été régulièrement assommés à cet endroit par divers feuilletonnistes au moment de leur parution; honnête, le nouvel article — sous la signature, je crois, de Jacqueline Piatier — faisait amende honorable au nom du journal, regrettant que ce fût un Américain qui dût nous apprendre à lire un auteur français d'aujourd'hui. Cela faisait dix ans, presque jour pour jour, qu'un certain Robert Coiplet s'était chargé d'expédier *Les gommes* à la trappe, par un verdict dont l'incompréhension butée ressemblait fort à celle qu'on m'opposait maintenant de nouveau, en page spectacle.

Mes expériences cinématographiques ont aussi déclenché sans attendre, dès ce demi-échec qui visait sans doute trop loin, l'hostilité déclarée, inconditionnelle (dont la vigueur aveugle a toujours survécu, ensuite, aux nombreux changements d'équipe ou de direction), d'un agrégat mutualiste hétérogène de jeunes loups aux dents longues qui, sous l'appellation de *Cahiers du cinéma,* faisaient alors la loi dans le domaine réservé des recherches et de l'avant-garde, où pourtant — Godard et quelquefois Rivette mis à part — leurs œuvres personnelles ne semblaient en rien devoir leur donner la parole. Voulant m'exprimer ici sans fard, je dirai tout crûment que Chabrol ou Truffaut, pour n'en citer que deux parmi les plus réputés en même temps que les plus académiques, n'ont jamais été autre chose que d'estimables (si l'on m'autorise cet oxymoron) réalisateurs commerciaux, soucieux dès le départ et de leur propre aveu, bientôt même sans la moindre ambiguïté, de satisfaire le goût du grand public en respectant les règles de la narration dite « réaliste », évitant sagement de mettre en cause le langage codifié par l'industrie, et les yeux braqués avec dévotion sur les plus gnangnan des productions hollywoodiennes, dont on ne s'occupait guère en ces temps-là de dénoncer l'impérialisme.

Leur idéologue à tout faire, le gentil et catastrophique André Bazin, avait développé une théorie (le cinéma c'est la vie, le jeu des acteurs et l'ensemble du tournage doivent être aussi « naturels » que possible, il faut faire oublier les bords du cadre au spectateur, moins il y aura de montage dans le film et mieux cela vaudra puisqu'il n'y a pas de montage dans la nature, etc.) qui sonne comme un manifeste néo-réaliste contre toute idée d'art cinématographique, du moment que ces films se limiteraient à transcrire les déroulements du monde, avec le minimum d'intervention grâce à un matériel de plus en plus perfectionné. On ne pouvait, évidemment, attendre d'un tel programme, d'une telle naïveté anti-constructrice, un quelconque renouvellement des formes : une semblable idéologie de « la vie » existait depuis belle lurette, quoique de façon moins outrancière, chez maints bons réalisateurs français traditionnels, honnis par nos jeunes gens avides surtout d'occuper leur place, ce qu'ils ont d'ailleurs fort bien réussi. J'avoue pour ma part préférer encore, dans une esthétique si voisine quant aux structures du récit, Carné, René Clair ou Clouzot, sur lesquels ils s'acharnaient.

Bazin allait même jusqu'à réduire les très stimulants principes exposés par Eisenstein, dans son cours, à des expédients rendus jadis nécessaires par le handicap d'une technique pauvre et balbutiante (écran réduit, absence de couleur, personnages muets, champ dépourvu à la fois de profondeur et d'ouvertures latérales, pellicule peu sensible, etc.) qui aurait contraint le malheureux artiste à des contorsions gauches entre ses cadrages limités et ses multiples collures.

Ajoutons que toute recherche photographique était également bannie, désormais, comme préciosité désuète, au profit d'une image moche, sans éclairage et sans précautions (Godard seul savait en tirer un parti créateur), abandonnée à la grâce prétendue naturelle des fenêtres qui se trouvaient sur place et du temps qu'il faisait. De grands modeleurs de lumière, comme Henri Alekan, ont pâti de cette mode ravageuse qui transformait soudain, et pour deux décennies, tout leur travail en temps perdu, tout leur savoir en paléontologie, tout leur génie en maniérisme. Quant aux bandes-son, Godard lui-même se montrant là moins inventif, il vaut mieux ne pas en parler.

Ce qu'il faut, c'est relire le fameux *Manifeste contre-point sonore,* signé par Eisenstein, Poudovkine et Alexandrov vers la fin des années 20 (octobre 27, il me semble). Au moment où l'on apprenait, à Moscou, qu'une toute récente invention américaine allait permettre de faire parler les comédiens sur l'écran, ce texte prophétique dénonçait avec force (et une sûreté de vues extraordinaire) la pente fatale sur laquelle tout le cinéma risquait fort de glisser : l'illusion réaliste se trouvant renforcée considérablement par la parole donnée aux personnages, le film se laisserait entraîner sur la voie lâche de la facilité — dont la tentation nous menace sans cesse — et, pour plaire au plus grand nombre, se contenterait à l'avenir d'une prétendue reproduction fidèle de la réalité vivante (c'est-à-dire, en fait, des idées reçues la concernant), renonçant ainsi à la création d'œuvres véritables, où cette « réalité » serait mise en question par une organisation systématique et subversive du matériau narratif.

Or, ce qu'Eisenstein réclame au contraire ici, avec sa véhémence habituelle (mais il devine déjà la cause perdue), c'est que le son synchrone serve plutôt à créer des chocs supplémentaires : aux chocs entre les images produits par le montage des plans, collés l'un à la suite de l'autre selon des rapports de résonances harmoniques ou d'opposition et non pas de continuité spatiale, doivent s'ajouter les chocs entre les divers éléments de la bande sonore, et aussi des chocs nouveaux — des contradictions nouvelles — entre les sons d'une part et les images projetées en même temps de l'autre. Bien entendu, en bon marxiste-léniniste, il appelle à l'appui de sa thèse la sainte dialectique...

Pourtant, hélas, l'idéologie communiste — soucieuse avant tout de bien enfoncer les clous de sa propagande — ne préservera guère le cinéma soviétique officiel (qui est un des plus conventionnels et univoques du monde, un des moins dialectiques) de tomber dans ce piège des significations familières, faites à l'avance et bien compréhensibles. En fait, le bon vieux « réalisme bourgeois » triomphera partout désormais, à l'ouest comme à l'est, où il sera seulement rebaptisé « socialiste ». Eisenstein se verra interdit d'enseignement, lui et ses amis ramenés *manu militari* à la nouvelle norme universelle, le montage-image de ses films (*Que viva Mexico,* par exemple) refait par la bureaucratie bien-pensante ; et les sons, partout, seront assujettis aux images remises en bon ordre.

Ainsi, conformément aux prédictions pessimistes du *Manifeste contrepoint sonore,* le parlant, l'écran large, la profondeur de champ, la couleur, la caméra mobile, les chargeurs de longue durée, la pellicule ultra-sensible, tout cela aura bel et bien sonné « la fin du cinéma en tant qu'art ». Aussi, qu'on ne vienne pas nous étourdir avec cette antienne, qui voudrait rendre responsable de tous nos maux les télévisions débiles, publiques ou privées, encore plus débiles sans doute que tout le reste, quand elles s'y mettent, mais à qui les grands films du commerce avaient déjà largement ouvert le chemin. En vérité, le processus de normalisation du récit filmé se trouvait à l'œuvre depuis plus de cinquante ans. Et peut-être *La nuit américaine* ou *Le dernier métro* reprendront-ils au contraire un peu de tonus, une fois saucissonnés avec adresse par des spaghettis post-modernes, des crèmes à raser, des eaux de toilette hamiltoniennes et le surgissement intempestif de petites japonaises étincelantes. Quant à mon *Immortelle,* n'ayons aucune crainte : je défie Berlusconi lui-même d'y vendre à quelque annonceur que ce soit le moindre espace publicitaire !

Mais si nous voulons aujourd'hui essayer malgré tout de rendre à notre chancelant septième art sa vie propre, sa force d'antan, sa faculté de nous offrir des œuvres véritables, dignes de rivaliser avec les créations romanesques ou plastiques de la modernité, il sera d'abord nécessaire de restituer au travail filmique les ambitions qui étaient les siennes à l'époque du muet. Et nous devons, comme Eisenstein nous y invite, profiter de chaque invention technique nouvelle, non pas pour nous soumettre davantage à l'idéologie réaliste, mais, tout à l'opposé, pour accroître encore les possibilités d'affrontements dialectiques à l'intérieur d'un tissu cinématographique devenu de plus en plus complexe, et, par conséquent, multiplier les dégagements d'énergie produits par les tensions internes et les chocs entre les divers éléments matériels mis en jeu.

L'aventure en vaut la peine, car il semble bien que le cinéma constitue un outil privilégié pour affronter, investir et dépasser *(aufheben)* ce réel contre quoi je bute. Tout d'abord, l'image animée possède deux caractères primordiaux (que le réalisme tente en vain de faire oublier) : elle est au présent et elle est discontinue. Cette irréductible présence de l'image filmique s'oppose manifestement à la belle panoplie des temps grammaticaux, dont dispose le roman classique pour nous endormir dans ses effets de continuité chronologique et causale. Il n'existe aucun code photographique qui permette de signifier que telle ou telle scène est au passé — ni défini, ni indéfini, ni imparfait — ou au futur, encore moins au mode conditionnel. Si je vois un événement se dérouler sur l'écran, je le conçois comme en train de s'accomplir ; il est au présent de l'indicatif. (On ne peut en dire autant de l'image fixe ; la photographie — document, portrait, photo souvenir, etc. — est en général reçue comme un témoignage du passé, évoquant un personnage qui a vécu, un événement qui s'est produit à une époque plus ou moins lointaine, ne serait-ce que lors des dernières vacances.)

D'autre part, la continuité de cette action présente, en train d'advenir sous nos propres yeux, se trouve interrompue de façon imprévisible et brutale à chaque changement de plan, c'est-à-dire chaque fois que les ciseaux du monteur ont coupé la pellicule pour coller à la suite (à la place) une autre prise de vue. Entre le dernier photogramme du plan n et le premier photogramme du plan n + 1, il se passe quelque chose, un saut à travers l'espace, qui n'occupe aucune durée dans le film : la caméra n'est plus à la même place et une faille plus ou moins longue a pu s'opérer dans le temps, à notre insu.

Paradoxalement, c'est la conjonction de ces deux sauts — dans le temps et dans l'espace — qui va permettre au montage traditionnel de faire passer la collure inaperçue aux yeux du spectateur. Il suffit en effet de raccorder entre eux deux gestes qui se ressemblent beaucoup, par l'ampleur, la cadence, la signification, etc. (par exemple le même pied du même person-

180

nage en marche, pris au même moment de son mouvement périodique, avec le même costume et dans le même décor), pour que — à condition de changer radicalement l'angle de vue — l'absence de temps et le bond dans l'espace ne soient ressentis ni l'un ni l'autre, ni par conséquent la collure qui les matérialise. D'où cette définition admise par toutes les écoles enseignant le cinéma : le raccord juste est celui que le spectateur ne verra pas. Jugez comme nous sommes loin des effets de montage théorisés et mis en pratique par Eisenstein.

Cette définition académique du prétendu raccord juste, on va en retrouver les reflets à tous les niveaux de la fabrication du film. Donnons ici, rapidement, quelques applications de cette esthétique d'escamoteur. Le bon cadrage sera celui dont le public ne prendra pas conscience, c'est-à-dire celui dont les bords ne joueront aucun rôle (la voie est ainsi préparée pour les cadrages mous de la télévision). Le bon éclairage : celui qui se remarquera le moins, le plus neutre, le plus ordinaire. Le meilleur emplacement pour la caméra : celui qui aura le moins de personnalité, parce qu'il gommera mieux ainsi l'origine matérielle des prises de vue (la caméra, plus que tout, doit disparaître, et les miroirs sont la hantise des cadreurs). Le bon acteur sera celui qu'on ne percevra pas comme acteur, mais seulement comme personnage, etc. Un théoricien de la bande-son a même été jusqu'à écrire : « La meilleure musique de films est celle que le spectateur n'entend pas. »

Voilà donc définie l'illusion réaliste au cinéma : le meilleur film est celui dont les formes (narratives ou plastiques) auront le moins d'existence, le moins de force, et dont seule sera perçue par le public l'anecdote racontée. Le matériau cinématographique étant ainsi supposé d'une parfaite transparence, l'écran n'est plus qu'une fenêtre ouverte sur le monde... Sur le monde réaliste, bien entendu, pas sur le réel. Sur le monde de la familiarité, et non pas sur l'étrangeté du monde.

Pour avoir quelque chance de nous arracher à l'ornière, il faut maintenant prendre le contre-pied d'un tel système, en commençant par rétablir dans son rôle cette nécessité primordiale de tout art : désigner sans honte son propre matériau, ainsi que le travail créateur effectué sur lui. Et si une lutte contre ce matériau doit être entreprise, que cela soit une lutte ouverte, faite face au public et non pas derrière son dos. Et si une ressemblance avec le monde doit être recherchée, que cela soit du moins avec le réel, c'est-à-dire l'univers qu'affronte et sécrète tout à la fois notre inconscient (déplacements de sens, confusions, imaginaire paradoxal, rêves, fantasmes sexuels, angoisses nocturnes ou éveillées...), et non pas avec le monde factice de la quotidienneté, celui de la vie dite consciente, qui n'est que le produit fade et lénifiant de toutes nos censures : la morale, la raison, la logique, le respect de l'ordre établi.

Je mesure évidemment la contradiction, au moins apparente, qui risque de discréditer aux yeux de mon lecteur le présent plaidoyer, écrit d'ailleurs il y a quelques années déjà, mais auquel je continue de souscrire. J'y prêche pour les effets de rupture, les heurts irrationnels, les oppositions internes ; or mon texte lui-même reste constamment conforme à la logique traditionnelle et à la raison. Il serait inutile, pour me justifier, de recourir ici à la dialectique ; l'explication est bien plus simple, et afin d'éviter toute méprise, je la répète une fois encore :

En rédigeant les lignes en question, je ne fais pas œuvre créatrice. Pour reprendre les termes proposés naguère par Roland Barthes, je n'y suis pas « écrivain », mais un modeste « écrivant » : j'ai quelque chose à dire et le contenu de mon message préexiste dans ma pensée, avant que je ne la formule ; il s'agit simplement, patiemment, de l'exposer avec le plus de clarté possible, donc selon les règles du discours qui, par chance, sont les mêmes pour mon lecteur et pour moi. Comparées à ce rôle glossateur, sans risque ni éclat, les prétentions de l'écrivain (ou du cinéaste) sont bien entendu démesurées.

Corinthe pénètre dans son bureau, pour se diriger vers la grande table en acajou terni où ses travaux interrompus l'attendent. Il est vu de face, en train de refermer la porte qu'il vient de franchir. Il s'arrête un instant et regarde, les yeux dans le vague, vers la lumière, c'est-à-dire vers nous et vers la fenêtre, non visible sur l'image, comme d'ailleurs la table qui se trouve juste au-dessous. Ensuite il tourne avec lenteur la tête en direction des murs, de droite puis de gauche, jaugeant dirait-on l'espace familier, apercevant au passage les deux grands tableaux très sombres : d'un côté le chevalier noir à la lance ensanglantée, et, en vis-à-vis, le portrait de lord Corynth à la bataille de Dartmoore.

Tandis qu'il reprend sa marche, légèrement sur la gauche de l'appareil (donc, pour lui, sur la droite), le plan est interrompu au bout d'à peine deux pas, la coupure le laissant un pied en l'air. Au plan suivant, nous le voyons de face à nouveau, mais l'objectif a pivoté de 180°, sans nous prévenir, et la nouvelle image représente en quelque sorte le contre-champ de celle qui précède. Corinthe y est assis à sa table, sous la fenêtre, parfaitement immobile, le regard toujours dans le vague, levé en direction de la caméra. Ensuite, il abaisse les yeux vers les feuilles manuscrites qui jonchent toute la surface de travail, devant lui.

Ce type de raccord « faux », fréquent dans *L'immortelle,* m'a valu sur les lieux mêmes du tournage, au sein du vieux palais en bois un peu délabré mis à ma disposition par l'ambassade de France, les plaintes désolées du chœur des techniciens. Ce que je voulais faire était *impossible,* tout simplement. N'étant pas du métier (on me reconnaissait comme écrivain à cette occasion), je ne pouvais me rendre compte de l'affreuse faille temporelle que cela produirait sur l'écran et — pire encore — du dédoublement opéré à l'intérieur du personnage : comme s'il s'avançait à la rencontre de son propre sosie, assis déjà face à lui-même ! (Tiens, c'est vrai, pourquoi pas ?)

Las de leur expliquer en vain, non pas la signification que j'attachais à cette « erreur de script » (je l'ignorais autant qu'eux, mais ne pensais pas avoir de tels comptes à rendre), mais seulement la nécessité où je me trouvais de monter la scène de cette façon (je la voyais ainsi, avec une netteté inéluctable), j'ai fini, en désespoir de cause, par tourner le raccord juste : l'acteur, abandonné un pied en l'air au plan précédent, repose ce même pied sur le sol six mètres plus loin et s'assoit à son bureau, où il s'immobilise. Bien entendu, deux mois plus tard, à la table de montage, j'ai tranquillement coupé les images inutiles et rétabli ma fêlure. J'ai ainsi pu vérifier que c'était, sinon légitime, du moins parfaitement « possible », et que l'effet sur l'écran serait bon. Je veux dire : bon pour moi, qui poursuis ici cette quête inlassable, justement, à la rencontre de mon double.

En fait, cela m'a coûté ensuite quatre années de purgatoire. Mon second film, *Trans-Europ-Express,* ne s'est réalisé qu'en 1966, avec un budget encore plus réduit (trois semaines de tournage) et aucun engagement des distributeurs avant la copie-standard. Mais le même producteur, Samy Halfon, me faisait au contraire désormais une entière confiance (il me laissait même tourner sans découpage préétabli), ayant pu constater que, d'une part, je savais exactement ce dont je désirais faire l'expérience (rien de pire, sur le plateau, qu'un metteur en scène indécis) et que, d'autre part, j'étais capable de l'obtenir sans dépasser d'une heure ni d'un sou les éléments prévus au devis initial. On sait que les dépassements en cours de réalisation — qui peuvent doubler ou tripler le coût d'un film — sont la hantise, justifiée, des professionnels. Il faut dire qu'étant à la fois l'auteur et le réalisateur, opérant en outre, à partir de ce moment, sur des scénarios demeurés ouverts, je pouvais adapter aussitôt la suite de mon travail aux moindres aléas du tournage, naturels ou techniques.

Et puis je comprenais de mieux en mieux sur quels principes reposait le cinéma que j'avais en tête. D'abord ceci : la caméra ne dévoile pas la réalité, elle l'imagine. Et d'autre part : les tensions et les heurts dans le film ne se limitent pas aux effets de montage, ce sont tous les éléments du récit (caméra, éclairages, bruits, personnages, décors, actions, etc.) qui entrent en lutte sur l'écran. D'où est venue, sans doute, l'idée de reprendre le vieux schéma du film sur un film en train de s'inventer, de prendre naissance et corps sous les yeux mêmes du spectateur.

C'est en effet, apparemment du moins, le « sujet » de *Trans-Europ-Express*. Mais le couple classique créateur-création (auteur-personnage, intention-résultat, liberté-contrainte, etc.) s'y trouve sans cesse perturbé, inversé, éclaté dans des affrontements systématiques au sein du matériau narratif. En particulier, on découvre bientôt que chacun des protagonistes — le producteur, la script-girl, le réalisateur, le héros, l'inévitable et séduisante prostituée, le chef du gang , le commissaire de police — est en train de manipuler l'intrigue pour son propre compte, comme s'ils essayaient tous, parallèlement ou à tour de rôle, d'accaparer le pouvoir organisateur à l'intérieur du récit, dans le seul but de l'orienter suivant des préoccupations personnelles, plus ou moins éloignées du projet original.

Le producteur voudrait, évidemment, plaire au public populaire (à l'idée qu'il s'en fait, plutôt, selon les recettes courantes) en lui fabriquant une histoire violente à rebondissements multiples, avec cependant un minimum de vraisemblance. La script (jouée par Catherine) veille d'un ton sévère au seul respect de la chronologie et du déterminisme causal, pourchassant les contradictions diégétiques, mais aussi les erreurs d'accessoires ou de costume. Le héros, apprenti trafiquant interprété avec maestria par un Trintignant très à l'aise dans le rôle, s'intéresse hélas beaucoup moins au passage de la drogue entre Paris et Anvers, figurant au scénario, qu'à ses propres penchants pervers : la passion exclusive du viol, qui semble du reste totalement ignorée par l'auteur.

Le chef du gang n'a pas confiance dans ce débutant et lui confie uniquement des fausses missions, afin de le mettre à l'épreuve. La jeune prostituée (Marie-France Pisier dans toute son alléchante fraîcheur) propose au héros de se plier pour lui à des mises en scène intimes, susceptibles de satisfaire ses goûts sexuels particuliers. Le policier tente d'utiliser les talents de la prostituée (joints aux faiblesses du héros) pour attirer les gangsters dans un guet-apens, sans bien savoir jusqu'à quel point la fille travaille aussi pour eux. Un petit garçon fugueur, enfin, croit que tout cela est une bande dessinée racontée par Trintignant, qu'il héberge dans son logis clandestin.

Chacun passe ainsi son temps à essayer de comprendre ce que font les autres, à fausser leurs actions et à leur tendre des pièges. Au milieu de cet imbroglio, le malheureux auteur-réalisateur, qui continue imperturbablement à exposer son film d'un air docte, n'arrive bientôt plus du tout à renouer en hâte quelques fils épars, pour donner à l'histoire un semblant de cohérence. Ajoutons que l'ensemble se passe en grande partie dans les trains rapides Paris-Anvers-Paris, où se rencontrent parfois, côte à côte sur les sièges d'un même compartiment, des acteurs qui n'appartiennent pas au même niveau de l'intrigue, ou à la même temporalité, l'un par exemple rentrant à Paris tandis que l'autre est censé rouler en direction d'Anvers. Poursuites, fausses pistes, mensonges, impasses et scènes de viol sont allègrement scandés par les airs dramatiques et pimpants de *La Traviata,* chantée en russe et savamment mise en pièces par Michel Fano. La *traviata,* c'est-à-dire en italien : la dévoyée, l'histoire perdue qui a quitté la bonne voie et s'affole, malgré les rails rigides du chemin de fer, parmi les allers-retours subits et les aiguillages détraqués. Notons au passage que la puissante locomotive, lancée à vive allure dans un sourd fracas métallique, ne m'avait pas attendu pour devenir un des plus sûrs symboles sexuels du cinéma.

Paradoxalement, cette histoire érotico-policière constamment subvertie, tordue, désarticulée, a obtenu un immédiat et très net succès lors de sa sortie parisienne. Plusieurs critiques importants qui n'appartenaient à aucune chapelle, tel le bon Jean-Louis Bory, n'avaient pas hésité à vanter les mérites insolites d'une pareille gageure : le film leur paraissait excitant, vif, joyeux, et ils le clamaient bien haut sur trois colonnes, sous de grandes photos montrant la jolie Marie-France gracieusement enchaînée à son lit de cuivre dans une petite robe en lambeaux. Je ne suis pas sûr, cependant, que le public assez large qui remplissait les salles ait suivi dans tous ses dédales et apories diverses les aventures, entre autres, de la clef du casier de consigne, ni celles du paquet de cordes trimbalé par Trintignant...

Les gens voyaient surtout, il me semble, l'histoire à peine chargée d'un metteur en scène qui hésite et se perd au milieu des possibilités contradictoires de la création (c'est-à-dire, en somme, le stéréotype que je croyais démolir), sans justement s'apercevoir que ce réalisateur raide et dogmatique sur sa banquette de T.E.E., qui d'ailleurs s'appelait Jean bien que je tienne moi-même le rôle, ne pouvait être en aucune façon l'auteur du film qu'ils étaient en train de regarder, dont toute la structure et souvent même l'anecdote lui échappaient complètement, depuis le début. Certains, qui n'aimaient pas mes romans, allaient jusqu'à reconnaître dans mes attitudes guindées ce qu'ils appelaient mon manque d'humour.

En revanche, le jeu à la fois outré, imprévu et subtil

de Jean-Louis Trintignant a sans aucun doute concouru pour une large part à ma réussite. Mais il est probable aussi que la cohorte des jolies filles (plus ou moins déshabillées) offertes dans leurs chaînes, le vieux mythe de l'esclave sexuelle promise aux pires caprices masculins, le fantasme du viol et des sévices amoureux ont, davantage encore, joué en ma faveur pour attirer les gynéphiles à l'affût. Devrais-je en avoir honte ? J'avoue qu'il n'en est rien : pour une fois que je partage un de mes goûts personnels avec le bon peuple !

Je connaissais alors un jeune acteur américain, très play-boy de luxe, que sa petite amie en titre — une ravissante Eurasienne — avait plaqué après avoir vu le film (c'est lui-même qui le racontait) parce qu'il refusait obstinément de l'attacher au lit conjugal pour lui faire l'amour. Bien des hommes, sans aucun doute, étaient *a fortiori* sensibles à ces scènes scandaleuses (... il y a vingt ans !). Mais, souvent, ceux-là me reprochaient de gâter leur plaisir en dénonçant du même coup leur imagerie secrète, soit par l'exposition du stéréotype en trop vive lumière, soit par de brusques retournements intempestifs : Marie-France Pisier se relevant, toujours aussi suave et intacte, pour demander, très professionnelle, à son client s'il avait été content de la prestation. On pouvait, à ces moments-là, percevoir dans les salles obscures un long murmure mâle de frustration charnelle : c'était donc un simulacre, quelle escroquerie !

L'ultime viol ayant été accompagné d'une lente strangulation, non consentie par le personnage bien qu'acceptée par l'actrice, celle-ci revenait ensuite sur l'écran, enlacée dans les bras de son partenaire, pour adresser un gentil sourire au public et marquer ainsi la dernière image du film, comme les morts font au théâtre après le baisser du rideau. Un soir, anonyme dans le flot de la sortie, j'ai entendu un spectateur spolié de son illusion réaliste (donc, ici, de ses désirs meurtriers) dire en maugréant à son compagnon : « C'est quand même dommage qu'il ne l'ait pas *vraiment* étranglée, cette petite putain ! » J'avais envie de lui expliquer que les compagnies d'assurances ne pouvaient couvrir de tels risques.

Le pervers inconscient (c'est le plus répandu) n'aime pas qu'on lui désigne et démonte ainsi ses propres fantasmes. En fait d'outrages sexuels, il préfère nettement le réalisme, brut de coffrage, par exemple *L'amour violé* de Yannick Bellon (là, au moins, c'est du vrai, du solide, pas du théâtre ni des manipulations structurelles !) qui pourtant avait été tourné dans les meilleures intentions féministes du monde, sans prévoir, évidemment, où le film terminerait sa carrière : les salles classées X avoisinant la gare Saint-Lazare.

Comme toute idéologie, qu'elle soit ou non criminelle, le fantasme a besoin de l'ombre : un éclairage trop direct affaiblit son empire. Il aime l'incognito, le déguisement, et il s'épanouit volontiers — terrain de choix — sous l'alibi naturaliste : rien de mieux que les prétendus documents, sournoisement romancés mais en respectant les règles, sur quelque fait divers incestueux ou sadique, ou bien sur les maisons closes pour maniaques, les punitions cruelles infligées aux catins désobéissantes, la traites des blanches ou la barbarie nazie, pour attirer le chaland avec d'innocentes starlettes enlevées à leur existence quotidienne, séquestrées dans des forteresses médiévales, fouettées jusqu'au sang sur leurs attraits les plus tendres, dévorées vivantes par des chiens-loups... Cela pour me limiter aux scènes les plus classiques, comme aux illustrations les plus fréquentes sur les couvertures coloriées, dans les recoins discrets des bibliothèques de gare.

Une condamnation morale formelle, souvent même stipulée dans le titre, constituera pour l'amateur honteux le meilleur des paravents, à l'abri duquel il pourra consommer sans remords des atrocités « authentiques » fabriquées pour lui sur mesure, ou du moins ornées et retaillées à son intention. On sait que Flaubert, déjà, serait apparu moins coupable aux yeux du procureur, lors de son célèbre procès, s'il avait pris la précaution de condamner lui-même Emma par quelques couplets bien-pensants, ce qui pourtant — j'imagine — n'aurait guère empêché les lectrices rêveuses de se délecter au récit de ses turpitudes.

Aujourd'hui encore, quand je parle à un journaliste des stéréotypes majeurs de la société contemporaine — venus quelquefois du fond des âges — qui s'étalent dans mes films et livres (la violence sexuelle en particulier), mon interviouveur veut toujours me faire préciser que, bien sûr, si je les montre avec une telle insistance, c'est pour les dénoncer à la conscience morale du public. Je répète alors invariablement que je suis désolé de ne pouvoir souscrire à une telle entreprise : la morale n'est pas mon affaire et je ne voudrais pas que le mot « dénoncer » me fasse endosser justement la robe du procureur. Ces images récurrentes sado-érotiques, je les désigne et c'est tout.

C'est déjà beaucoup, peut-être. Nommées, encadrées, mises en scène sous la clarté crue des projecteurs, il va bien falloir que les intéressés en prennent conscience.

Mais, s'ils n'aiment pas se sentir désignés, c'est eux seulement que cela concerne. Et, de toute manière, je suis le premier à supporter cette désignation. Ce n'est pas moi le juge, ni le lecteur l'accusé. Nous sommes tous les deux du même côté de la salle d'audience. Une différence cependant existe : je connais mieux que la plupart des pervers les monstres sanglants qui m'habitent, et je n'en éprouve ni culpabilité ni repentir. Je tiens beaucoup, au contraire, à laisser fleurir en surface, au grand jour, ce qui d'ordinaire se cache dans les profondeurs nocturnes, porte des masques, s'enferme et se travestit.

Les journaux à la page du genre *Libération,* ou *le Nouvel Observateur* pour nos vacances estivales, organisent régulièrement des enquêtes sur les fantasmes sexuels de l'époque. Je me demande si, dans ce domaine, faire remplir des questionnaires présente un intérêt réel. Le fantasme sexuel est sans cesse répandu dans ma tête et à travers tout mon corps, depuis l'enfance, mais je peux très bien mourir sans l'avoir jamais regardé en face, par puritanisme, par peur, par paresse, par simple respect humain. Il se situe ainsi à l'exact opposé des réponses, orales ou écrites, recueillies lors d'un sondage d'opinion : celui-ci, par sa nature rationnelle et déclarative, ne peut que refléter des valeurs dont le fantasme non seulement se moque, mais qu'il vise même précisément à outrepasser. On demande à monsieur X. quelles sont les qualités essentielles qu'il attend d'une jeune fille. Il répond sans hésiter : la pureté, l'innocence..., tandis qu'au fond de son regard bleu passe le fantôme du viol et de la défloration. Mais chut ! Il n'a rien vu ; et, si vous le lui appreniez, il protesterait de bonne foi. Car le fantasme est lui-même, en un sens, innocent.

Aussi supporte-t-il mal la mise à distance. Montré du doigt, il s'évapore aussitôt. Sa densité ne subsiste qu'à l'ombre tranquille de l'ordre moral. On a dit souvent que le pervers (moi, vous) aurait un besoin absolu de la loi : il vivrait avec elle dans une sorte de symbiose. Reste à savoir lequel des deux serait à l'origine de l'autre. Est-ce la loi qui produirait le désir criminel, par quelque aspiration naturelle à la liberté ? Ou bien l'esprit pervers aurait-il au contraire sécrété cette loi morale, qui va fonder l'espace de son plaisir en même temps qu'elle l'interdit ?

Tout le monde se souvient encore d'un censeur américain qui, dans les belles années d'Hollywood, avait décrété la guerre au nombril des actrices, dont il expurgeait les films avec une rigueur si intransigeante qu'elle étonnait tous les studios. On retrouva chez lui, après sa mort, la plus ahurissante collection de photographies représentant des nombrils féminins, sa seule passion. Mais peut-être considérait-il ces images comme de simples trophées dans sa chasse au crime : loin de se masturber en les contemplant, il rassurait son âme puritaine en pensant qu'il avait ainsi lavé le monde d'un mal hideux, dont il ignorait que c'était précisément le sien.

L'insistante relation de Dostoïevski avec les histoires de petites filles violées, ou celle de Michelet avec les trop sensuelles sorcières livrées à la torture, paraissent tout aussi ambiguës (ou transparentes) en dépit (ou sous l'auvent) de la haute conscience morale dont on a crédité ces éminents pervers. Et Monsieur Ingres, dit-on, tombait des nues quand on lui attribuait à mi-voix quelque complaisance éventuelle, couverte heureusement par sa maîtrise académique, pour les grasses adolescentes exposées dans son harem, ou pour la succulente Angélique offerte nue et sans défense (tous charmes mis en évidence par de judicieuses chaînes) à la lance de Roger tout autant qu'au monstre marin, qui figure l'infâme turpitude au bas du tableau. Car le désir insidieusement se déplace, sans repos, entre son accomplissement dit normal et l'excès exorbitant du fantasme.

De la simple fixation fétichiste sur un détail du corps ou de l'habillement (talon aiguille, nuque courbée, petite culotte ou nombril) jusqu'à la hantise lancinante du crime sexuel, souvent même à grand spectacle (jeux du cirque romain ou supplices de l'Inquisition), un des caractères dominants du fantasme est en effet d'être démesuré. Sanction immédiate de cette aspiration au grandiose, il ne suscite au contraire parmi le corps social que de calamiteux ricanements. Dans notre belle démocratie libérée des tabous, les journaux, même les plus décidés — du moins dans leur programme — à respecter la folie du désir, ne manqueront jamais de se retrancher derrière le rire gras du baiseur, ou derrière un pincement de lèvres à la suffisance égrillarde, sitôt qu'apparaît la moindre obsession qui excède la loi du groupe. Ou bien il s'agit d'une imagerie classique (le cachot sadien et ses multiples anneaux, le fouet de cuir déchirant, la belle livrée à la bête, etc.), et l'on crie tout de suite à la pauvreté de l'imaginaire, ou bien la fixation est au contraire exceptionnelle et l'on dira : « Quelles dérisoires complications ce pauvre malade ne va-t-il pas chercher ! »

De toute façon, dans sa monstrueuse et fragile grandeur, le fantasme ne se réalise pas. Sa beauté absolue, sa liberté, sont incompatibles avec les misérables imperfections contingentes. Seul, parfois, le simulacre (dans l'œuvre d'art ou dans le jeu expert) parvient à en donner quelque approximation fugace. En revanche, il convient de redouter son refoulement, par le rire comme par la censure : chassé de notre imagination créatrice, il risque fort de resurgir soudain, dans la solitude impunie ou l'excitation collective, sous la forme odieuse de vulgaires crimes « réalistes », avec tout ce qu'ils comporteront de tristesse et de médiocrité. Méfions-nous donc des bâillons moralisateurs, et méfions-nous aussi des trop purs enfants au cœur angélique... (Est-ce un hasard si ce prénom sans cesse repoussé, mais intimement lié — comme on sait — à ma propre histoire, apparaît ici pour la seconde fois en trois paragraphes ?)

Sur quoi veillent nos censeurs ? Sur la pureté morale des nations. Jusque-là, tout va bien : après tout, chacun son travail. Mais ils prétendent aussi, et c'est alors que les choses se compliquent, lutter contre l'extension du crime. Selon leurs thèses plusieurs fois centenaires, le consommateur d'œuvres sado-voluptueuses (roman, film aujourd'hui, bande dessinée, musée de peinture...) va se trouver contraint par un fort effet mimétique à commettre, dans sa vie même, les forfaits trop plaisants (qui donc dit cela ?) dont il viendra de se repaître sur l'écran, le papier imprimé ou la toile de maître. Celui qui était au bord de la mauvaise pente s'y verra entraîné sans recours ; au lieu de continuer à réagir contre son mal, il s'y abandonnera. Celui que rien de tel n'avait effleuré jusqu'ici découvrira tout à coup, avec étonnement mais avec délices (qui donc dit cela ?), des horizons de plaisirs infinis, auxquels il n'aurait certes jamais songé autrement.

Qu'on me permettre d'écarter tout de suite ce deuxième cas, dont l'éventualité me semble particulièrement absurde : si le lecteur-spectateur n'a pas déjà ces pulsions qui sommeillent en lui, à son insu, il n'éprouvera qu'ennui et dégoût. Quant à l'autre, chez qui le monstre dort encore ou se tait, ou ne murmure qu'à voix très basse dans les profondeurs plus ou moins enfouies de la semi-conscience, peut-être même de l'inconscient, examinons le risque auquel celui-là s'exposerait. Pendant la guerre du Viet-nam, la vertueuse Amérique s'était fort émue du grand nombre de crimes sexuels, parfois horriblement spectaculaires, commis là-bas par les bons boys si propres du Nevada ou de l'Arkansas. Le président Nixon, ardent moraliste (bien que sans morale), voulait pour de tortueuses raisons politiques prouver que c'était la faute aux sex-shops ; et il avait réuni dans ce but une commission sénatoriale « d'enquête sur la pornographie et la violence », assortie de tous les experts possibles : sexologues, psychiatres, éducateurs, médecins, sociologues, etc. De telles doctes assemblées avaient déjà opéré au Danemark et dans d'autres pays nordiques.

Toutes sans exception — et l'américaine une fois de plus — ont, à la suite de leurs travaux, infirmé totalement l'hypothèse nixonienne : ceux qui commettent les crimes érotiques (policiers, militaires, religieux ou simples pékins) ne sont jamais les habitués de la violence sexuelle comme spectacle commercial, ni les abonnés aux enfers des bibliothèques. Ce serait plutôt les autres, au contraire, les puritains que scandalise la seule idée de jeter les yeux sur ces images sales : méconnaissant de façon catégorique les passions secrètes inscrites dans leurs corps, et s'étant un beau jour trouvés dans une

196

situation exceptionnelle où les barrières et garanties sociales n'avaient plus cours (la jungle de mort au Viet-nam), ils se sont sentis d'un seul coup, tel Macbeth, en train de « réaliser avec leurs mains ces étranges choses, avant de les avoir mises à l'épreuve dans leur tête ».

S'ils avaient au contraire dès l'adolescence, grâce à un autre type d'éducation, fréquenté leur propre face cachée, c'est-à-dire ces crimes latents qu'ils portaient en eux, ils auraient vite appris à les reconnaître, pour les examiner à loisir, puis à les dominer, et bientôt à en jouir sans honte, sans risquer non plus d'attenter un soir à la vie d'autrui ni à sa liberté. Chacun se rappelle l'aventure du marquis de Sade : appelé à siéger au tribunal révolutionnaire qui expédiait allégrement le moindre suspect à l'échafaud, il aurait pu enfin y exercer à l'aise ses talents meurtriers ; il se montra d'une telle clémence que l'on dut bien vite se passer de ses services et le renvoyer à ses sanguinaires écrits.

Les anciens Grecs, dont on loue volontiers la sagesse civique, avaient, pour cette raison, imaginé un grand théâtre populaire des fantasmes criminels, où l'inceste, le parricide, le sacrifice des vierges, l'assassinat et la dégustation des enfants, étaient régulièrement représentés sur la scène publique, devant des braves jeunes gens et pères de familles qui se lavaient ainsi des spectres dont ils étaient les hôtes plus ou moins inconscients. On appelait ce bain la *catharsis*. Ce que font les moralistes, exactement à l'opposé, ça n'est pas non plus détruire ces envies déplorables (comment le feraient-ils ?), c'est seulement les enfermer dans un mur de silence et mettre à leurs ouailles un bandeau sur les yeux. On a fort heureusement reconnu, de nos jours, que cette méthode

— celle du puritanisme et de la vertu répressive — risque justement de vous mener en cour d'assises ou devant le conseil de guerre.

On a reconnu ? Pas Nixon en tout cas (ni jamais aucun autre censeur professionnel) ; passant outre aux avis catégoriques de la commission qu'il avait nommée, aux pétitions des libéraux, à la raison, aux études statistiques, il a renforcé une fois de plus la réglementation punitive concernant les livres et films. De même en France, à l'époque où Michel Guy voulait atténuer l'archaïsme de cette réglementation, qui dépendait en principe de son ministère, c'est pratiquement toute la gauche unie, parti communiste et C.G.T. en tête, dont les hauts cris scandalisés ont volé au secours de l'ordre moral. Le président Giscard était un faible et avait peur du tapage. La censure a été maintenue, sinon raffermie.

Personnellement, je suis de ceux qui croient — comme Sophocle — à la valeur cathartique des représentations effectuées au grand jour. Mais, pour que cette fonction puisse opérer pleinement, les acteurs athéniens portaient des masques stéréotypés sur le visage, afin de détruire toute possibilité d'illusion réaliste. Il semble bien, en effet, qu'une forte distanciation ait de longue date été reconnue nécessaire (deux ou trois mille ans avant Brecht) pour éviter que le spectateur naïf ou le lecteur, ne cède à la douceur de s'identifier sans réfléchir à l'acte représenté. Ce qu'il faut, c'est qu'il se regarde lui-même ; une distance doit donc être marquée entre son corps et ce qu'on lui donne à voir, pour qu'une distance intérieure se fasse jour dans son propre esprit. Les chocs du montage préconisés par Eisenstein jouaient aussi ce rôle-là.

Ainsi est-il peut-être à craindre — c'est la seule

concession que je puisse faire aux moralistes — que l'effet de réel produit par un certain type de roman, et plus encore de cinéma (*L'amour violé,* par exemple), n'entraîne un public primitif, ou illettré, ou infantile, vers l'imitation de scènes figurées avec trop de vraisemblance. Me voici donc, pour ma part, sans l'avoir prémédité, du côté inattendu de la pédagogie civique et de l'efficacité préventive !

La société occidentale, dont je n'ai pas, dans l'ensemble, à me plaindre, m'a cependant peu fait justice sur ce point — qui n'est guère, on l'a vu, le premier de mes soucis. Dès le début de ma carrière d'écrivain, le gentil Emile Henriot, de l'Académie française, affirmait que mon *Voyeur* « relevait plus de la correctionnelle ou de Sainte-Anne » que des jurys littéraires. Vingt ans plus tard, c'est comme cinéaste (à propos de *Glissements progressifs du plaisir*) que la prude Italie, par deux fois, m'a cité à comparaître devant ses tribunaux. C'était l'époque où le cinéma pornographique transalpin semblait particulièrement prospère, et d'ailleurs fort peu inquiété. Mon film, néanmoins, sans que je me sois déplacé pour l'audience, avait été condamné sévèrement à Palerme, en première instance, et cela contre toute attente, l'affaire se trouvant — croyait-on — arrangée d'avance à la sicilienne. Le distributeur, principal accusé, m'a donc convaincu de venir à son secours et de me présenter en appel à ses côtés, espérant que mon prestige (?) international ferait impression sur les juges.

Je me suis rendu aux raisons de cet homme charmant, avec qui j'entretenais d'excellents rapports. Il s'appelait Poggione (qu'il me pardonne si j'écorche son nom).

Haut personnage de l'industrie cinématographique, président-directeur général d'une très grosse compagnie, la Medusa, c'était un être fin, élégant, d'une distinction aristocratique assez rare dans ce milieu. Grand et mince, digne, tout de blanc vêtu, il avait l'air cette fois d'un martyr livré aux philistins. Il répétait : « Ça n'est pas juste. Je gagne beaucoup d'argent en inondant mon pays avec des films commerciaux plus ou moins stupides. De temps à autre, pour me racheter en montrant ma bonne volonté envers les artistes, je veux distribuer un Pasolini ou un Robbe-Grillet. Et alors on me traîne au banc d'infamie. »

Cela se passait à Venise, le 14 juillet. Un luxueux motoscaffe immaculé, avec chauffeur à casquette de grand style, nous a pris tous les deux sur les marches de l'hôtel Luna pour nous conduire au palais de justice. Il fait une chaleur torride et le Grand Canal, dont les façades semblent toujours plus ou moins peintes en trompe-l'œil, prend un air d'autant plus irréel que les indigènes ont disparu, remplacés par des divisions de touristes japonais bardés de caméras. La cour d'appel siège dans un immense palais du XVIIIe siècle, juste après le Gritti. Extérieurement, la face qui donne sur l'eau, bien qu'un peu délabrée, fait encore bonne figure. Mais, dès qu'on y pénètre, on s'aperçoit que le bâtiment est tout à fait en ruines. A travers des cours encombrées de gravats et de colonnes brisées, par des escaliers dangereux où manquent des marches et des couloirs de plus en plus incertains, on nous conduit jusque dans les combles, en hommage peut-être à Frantz Kafka.

La salle d'audience est très petite, bondée d'avocats en robes, de magistrats divers aux costumes d'apparat chamarrés (dont les lourds velours sont fort peu de saison), de curieux, de journalistes et de photographes (prévenus par la défense, en vue toujours d'influencer le prétoire), sans compter quelques touristes égarés. Les étroites fenêtres à tabatière, haut placées, ne peuvent s'ouvrir, et sous ce toit de tuiles surchauffées, il fait plus de quarante. On juge d'abord deux voleurs à la tire, dont l'affaire est rapidement expédiée ; ils sont emmenés menottes aux mains. Le malheureux Poggione détourne son visage désolé de cette image infamante du sort qui, pense-t-il, l'attend bientôt. Car c'est à présent notre tour.

On commence par lire les attendus du jugement prononcé contre nous à Palerme. Le consulat général de France a délégué deux interprètes pour me traduire les débats. Le texte de ma condamnation, après une référence inévitable à Benedetto Croce, dit en substance : « Un artiste a le droit de montrer des scènes déshabillées, voire impudiques, mais à la condition expresse que ces scènes soient justifiées par les nécessités de l'intrigue. Nous avons vu le film du sieur Grillet, et nous n'avons absolument rien compris à l'intrigue, qui ne comporte aucune nécessité dans l'enchaînement des scènes. Les nombreux passages déshabillés qu'il contient ne sont donc que de la simple pornographie. » *Quod erat demonstrandum.*

Maître Massaro, le célèbre avocat romain qui défend ma cause, fait aussitôt remarquer que, grâce à ce raisonnement, les vrais pornos sont exploités sans entraves du haut en bas de la péninsule, pour la plus grande joie du public spécialisé dont le goût pour « les nécessités de l'intrigue » (l'illusion réaliste) est justement le même que celui du tribunal. Après quelques échanges confus, une petite sonnette annonce la suspension de l'audience, la cour désirant délibérer. En fait, les magistrats, dans leur oripeaux anachroniques, frisent l'apoplexie. Toutes les dix minutes, sous des prétextes divers, ils vont ainsi se retirer avec une dignité de plus en plus chancelante, afin, sitôt sortis, de se déshabiller entièrement (les nécessités de la situation évidemment le justifient!) et tenter de se rafraîchir sous les filets d'eau tiède qui s'écoulent des robinets, hors d'usage pour la plupart.

Dans la salle aussi, tout le monde se met à l'aise : avocats, photographes et journalistes. Les touristes des deux sexes sont déjà en tenue plus que légère. Seul mon distributeur au complet blanc croisé, toujours raide et fier malgré la dépression qui visiblement l'accable, endure avec stoïcisme la chaleur de l'enfer. La petite sonnette tinte à nouveau. En un clin d'œil, vestes, chemises et robes se retrouvent en place. La cour fait une entrée approximativement majestueuse et va se rasseoir sur l'estrade, derrière un long bureau de bois sombre, sous le christ géant qui, lui, est resté en simple pagne sur sa croix. L'avocat général déclare alors, avec une violence qui semble un peu forcée, que je ne devrais pas être ici en tant que témoin de la Medusa, mais bel et bien en tant qu'accusé, puisque c'est moi seul qui ai imaginé, écrit et réalisé le film. Il demande, véhément, cette transformation immédiate de mon statut.

Maître Massaro proteste avec énergie en brandissant un certain nombre d'articles du code : je n'ai, en tout état de cause, commis aucun crime en Italie, ni concernant l'Italie ; ce n'est pas moi non plus, évidemment, qui ai vendu le droit d'exploitation à un organisme italien. Puis il développe deux arguments dont le but principal paraît être d'exaspérer le tribunal. Premièrement, il montre que les magistrats ici présents ne peuvent juger l'affaire, puisqu'ils sont eux-mêmes impliqués dans le film : c'est leur image grotesque, accompagnée de leurs propres fantasmes sexuels, que l'on voit sur l'écran. Et, en second lieu, la justice italienne, dont tout le monde se gausse entre concitoyens de la péninsule, ne devrait pas faire venir de nobles étrangers (surtout s'ils risquent d'écrire ensuite ce qu'ils ont vu, dans leurs journaux), pour étaler ainsi devant eux une telle mascarade confuse. « J'ai honte pour mon pays », conclut-il, en se rasseyant.

Après une nouvelle suspension de séance, le président de la chambre (j'imagine, du moins, que c'est là son titre) crée une diversion inattendue, qui déclenche dans la salle une sourde vague de murmures hilares, en déclarant que, de toute manière, il ne pourra pas statuer... puisqu'il n'a pas vu le film dont on parle ! « Et pourquoi donc ? s'exclame mon défenseur de plus en plus agressif. Les bobines ont été déposées au greffe, depuis trois semaines à votre intention ! » — « J'étais fatigué », répond le juge d'une voix piteuse. Cette fois, un véritable éclat de rire secoue le public. Le petit Massaro bondit dans sa vaste robe noire, qui vole autour de lui comme les ailes d'un démon, et profite du désordre pour dérouler sous les yeux de la cour une immense gravure obscène, fort claire en dépit de sa facture peu académique, signée Picasso. « Est-ce que là, au moins, hurle-t-il devant l'alignement des toges, vous comprenez de quoi il s'agit ? » Redoublement du tumulte. Menaces d'évacuation. Nouvelle pause.

A la reprise de séance, une partie du prétoire ayant mystérieusement disparu de façon définitive, on m'interroge pour savoir quand je peux revenir sur les bords augustes du Grand Canal, le jugement se trouvant remis à une session ultérieure. Je donne le calendrier de mes voyages prochains, dont en particulier mon semestre d'automne à New York, qui commence dès la mi-septembre. Une discussion s'engage pour tenter de concilier les divers emplois du temps. Après une dernière interruption (mais la salle peu à peu se vide), j'apprends que la date retenue est en fin de compte le 10 octobre! Comme ça, on pourra prononcer tranquillement la sentence, sans moi et sans mes paparazzi...

Le plus drôle est que, pour clore l'affaire, *Glissements progressifs* sera condamné au bûcher : destruction par le feu en place publique de toutes les copies, ainsi que du négatif italien. Mon lecteur se souvient peut-être que la scène du bûcher figurait déjà dans le film, ainsi que celle où le magistrat — après le prêtre — avoue sa faiblesse face à la sorcière; tel le juge d'instruction qui interrogeait Maurice Blanchot sur le manifeste des 121, il finissait par demander un congé de repos pour épuisement moral.

La carrière publique de ces *Glissements progressifs du plaisir* est d'ailleurs marquée par des fluctuations curieuses. Lors de sa sortie en France, le film a été plutôt mis à l'écart, non sans quelque dédain, par une presse obscurément scandalisée qui préférait n'y voir que des constructions chichiteuses sado-pornographiques. Mais le redressement s'est ensuite opéré de façon très rapide : à titre d'exemple, le cher Bory, qui pour la première fois m'avait expédié en quelques lignes désinvoltes, sur la fin d'un article consacré à tout autre chose, citait six mois plus tard, parmi les œuvres ayant marqué pour lui l'année 75, ce même film qui devenait alors ma meilleure performance. Il est en effet maintenant, ici comme outre-Atlantique, l'un des plus montrés, étudiés, disséqués, parmi la petite dizaine que j'ai réalisée à ce jour. Aussi le ministère des Affaires étrangères n'a-t-il pas craint de le joindre au luxueux coffret de vidéo-cassettes, consacré par son service audio-visuel à mon œuvre cinématographique, qu'accompagne un appareil critique filmé, très remarquable, dû au talent de François Jost.

Quant au public des salles d'exploitation commerciale, il est tout de suite accouru en grand nombre, pour des raisons parfois plus que suspectes. Mais les jours suivants ont bientôt remis les choses en place. Un vaste cinéma des boulevards, dont la clientèle un peu spéciale avait été attirée par un panneau publicitaire géant, peint à la main dans le style vulgaire et criard, qui représentait une religieuse en cornette fouettant une jeune fille nue, à genou sur un prie-Dieu (ou, plus précisément, son genou droit en terre et l'autre reposant seul sur le velours rouge, une vingtaine de centimètres plus haut, ce qui offre l'avantage de faire se cambrer la coupable punie dans un agréable déhanchement, tout en lui ouvrant les cuisses de façon fort émouvante), a ainsi réalisé pendant deux journées entières une occupation de ses fauteuils supérieure à 100 %; c'est-à-dire que chaque séance accueillait plus de spectateurs (tous assis bien entendu) qu'on ne comptait de sièges dans la salle !

Il y avait en permanence, devant la grande porte vitrée, une queue importante de clients qui attendaient leur tour... et une file qui ressortait la tête basse par une autre porte, plus discrète, et en ordre dispersé : c'étaient les victimes de l'affiche réaliste affriolante, dont l'appétit charnel n'avait même pas pu tenir jusqu'à la fin du film, tant sa structure narrative leur paraissait insupportable. Un tel système constituait, au bénéfice de l'exploitant ravi, des recettes absurdement élevées. Malheureusement pour lui, ceux qui sortaient furieux par la petite porte ont vite fini par exercer une influence dissuasive sur ceux qui patientaient, encore pleins d'espérance, devant la grande. Au bout d'une semaine, le cinéma était pratiquement vide, depuis midi jusqu'au soir, et *Glissements* devait être remplacé en catastrophe par un produit plus conforme aux règles.

Ainsi le tribunal sicilien qui me condamnait quelques mois plus tard pour cause de non-narrativité (manque de justifications causales dans la suite des scènes, manque de continuité dans la succession des plans) avait-il bel et bien, selon ce mot de mon avocat rapporté un peu plus haut, les mêmes goûts cinéphiles que nos amateurs de chair fraîche... Sur la rive gauche, au contraire, après un démarrage moins foudroyant, le film a tenu l'affiche pendant de longues semaines, et même plusieurs mois au quartier Latin.

Cependant, les milieux féministes se sont montrés plus sévères encore que pour ma collaboration avec le vaporeux Hamilton. Et cette fois-ci, vraiment, j'ai trouvé ces dames injustes. *Glissements progressifs* représente, en effet, une sorte d'adaptation (très libre, on s'en doute) de *La sorcière* — ouvrage majeur et nettement féministe lui-même, écrit par Jules Michelet un siècle auparavant — ou, pour être plus exact, de la lecture qu'en faisait Roland Barthes dans son fameux *Michelet par lui-même*. Une fille, jeune et belle (très jeune même : Anicée Alvina qui tenait le rôle avec une tranquille impudeur, mélange naturel d'innocence et de provocation, avait à peine dix-sept ans) est accusée d'un meurtre sanguinaire. Elle est arrêtée, emprisonnée, soumise aux interrogatoires et persécutions des trois représentants officiels de l'ordre répressif, selon notre historien : le policier, le juge et le prêtre, secondés chez moi par la supérieure du couvent carcéral où des mineures sont enfermées, dans l'attente d'un jugement ou après leur condamnation.

Dans *La sorcière,* l'éternelle jolie fille est surtout une victime, que l'on torture à loisir (et par plaisir, évidemment) pour lui faire avouer des forfaits imaginaires ; en vérité, c'est le scandale de sa splendeur trop sensuelle — la beauté du diable — qui excite ses bourreaux. Dans *Glissements,* au contraire, sans négliger l'arme candide que représente l'éclat de son corps nu, elle met toute sa volonté, maligne et perverse, à subvertir les raisonnements du magistrat instructeur. Celui-ci voudrait remettre en bon ordre, ayant attribué un sens à chacune, les diverses pièces à conviction trouvées sur les lieux de l'assassinat. La jeune suspecte, dont il tente ainsi d'établir la culpabilité, s'ingénie, dans une direction inverse, à faire glisser sans cesse les significations possibles à la surface des choses, de manière à empêcher toute explication globale et cohérente de se coaguler, pour maintenir l'ensemble dans un état mouvant où les fragments disparates changent soudain de place, d'aspect, de valeur, et forment à chaque instant de nouvelles figures, toujours aussi instables.

Quant à l'ecclésiastique, aumônier confesseur dont elle a vite compris les obsessions sado-lesbiennes, l'adolescente lui raconte exprès des histoires abracadabrantes sorties tout droit du roman noir médiéval et de l'Inquisition espagnole, les religieuses haïes tenant lieu de bourreaux amoureux dans les souterrains secrets de leur prison, d'apparence si propre et rassurante, en façade. C'est ce pasteur halluciné qui succombera d'abord, détruit par la parole (en images) de ma démone aux airs ingénus. Mais le juge, plus sensible aux contradictions, plus souple, plus complexe et lucide aussi (Michel Lonsdale, magnifique dans sa délirante raison) perdra pied bientôt à son tour.

Personne, il me semble, dans cette opposition violente — presque manichéenne — entre l'imagination subversive et le lourd maintien de l'ordre, ne devrait me soupçonner d'être partisan de celui-ci. D'un bout à l'autre du film, mon adolescente insoumise, toute nue comme en petite robe de pensionnaire, apparaît vive, intelligente, drôle, aussi souveraine par son esprit que par la perfection de ses charmes juvéniles. Tandis que les représentants du pouvoir rationnel et coercitif, c'est peu dire qu'ils sont faibles, incertains sous leur prétendue autorité, misérables à l'intérieur d'eux-mêmes. Comment croire que je plaide leur cause, ou seulement que je m'identifie à eux ?

Par malheur pour moi, j'étais fidèle aussi à un autre aspect du livre ambigu de mon modèle. Dans le stéréotype à double face qu'il met en scène au sujet de sa trop séduisante sorcière, celle-ci incarne à la fois une conscience libre, l'espoir futur de la révolution (Michelet n'est-il pas l'inventeur de cette mignonne Marianne de nos mairies, qui emprunta même un moment le visage pulpeux et les seins dénudés de Brigitte Bardot ?) ; mais elle reste en même temps l'objet du désir masculin — où la volupté appelle un déchirement des chairs tendres — et notre moraliste (dont Barthes met en évidence les fixations érotiques sur le sang féminin) détaille avec une complaisance trop gourmande pour ne pas donner l'éveil (du moins aux âmes sœurs) les longs supplices qu'on lui fait endurer, jusqu'à l'extase mortelle.

Que l'on veuille bien ne pas espérer de moi une dérobade sur un point aussi capital, dont j'ai cru devoir également donner une traduction loyale et consciencieuse, sans cacher mes propres implications dans de semblables fantasmatiques. Je m'étonne cependant que cet unique aspect du film — moins important certes que son antithèse, par le minutage comme dans les effets sur l'anecdote — ait retenu l'attention exclusive de nos amazones à œillères.

La liberté, sans doute, est une passion difficile, trop souvent une passion malheureuse. Les avatars de la lutte féministe en sont une nouvelle illustration. La cause, pourtant, semblait au départ claire et sans piège : il s'agissait de faire reconnaître les femmes comme égales des hommes. Egalité d'abord devant la loi. Mais aussi égalité de leur parole avec la nôtre ; car en Occident comme en Orient, si la femme exerce quelquefois un très fort pouvoir occulte, c'est traditionnellement l'homme qui parle. Si bien que le discours de la société (le consensus idéologique) reste partout masculin : même guidé en catimini par une vieille épouse, une jeune maîtresse, ou par la reine-mère, un mâle adulte détient toujours le verbe.

Donner la parole aux femmes, c'était donc de première urgence, et, comme indispensable début, laisser maintenant parler le *sexe* féminin (sans limiter son murmure à celui d'un indiscret bijou). Cela devenait, en effet, peu supportable de n'avoir éternellement que Freud, ou D.H. Lawrence, ou Sade, ou Mahomet (ou Diderot) pour nous expliquer ce que c'est qu'une femme. Il fallait que l'autre sexe, dont l'homme parle si volontiers, se parle lui-même enfin.

Jusqu'ici, donc, rien à redire. Mais il ne suffit pas de parler, encore faut-il se faire entendre, et les femmes découvrent bien vite que des centaines, des milliers d'années de discours tenus sur elles, de l'extérieur, encombrent désormais nos oreilles. Une idéologie en place ne se laisse pas aisément détrôner : elle est au pouvoir, cela veut dire que l'on a tendance à ne saisir que ce qu'elle ressasse. Pour les femmes, parler à égalité avec les hommes n'aurait ainsi aucun sens ; ce qu'il faut, c'est parler à présent plus fort qu'eux, et, pour y parvenir, le meilleur moyen serait encore de les faire taire...

Aussi nous voyons chaque jour (même si notre pays n'est pas en pointe ces temps-ci) des combattantes du désenchaînement qui réclament sans honte l'appui de la censure : tel livre, telle revue, tel spectacle, telle affiche sont accusés de donner une « mauvaise » image de la femme, donc de concourir au maintien de cette idéologie masculine abhorrée. On s'en prend, pour commencer, à des publications ou représentations sans prestige ; semaine après semaine, les journaux nous annoncent en douceur l'interdiction d'une bande dessinée, d'un film érotique, d'une publicité, d'un magazine populaire...

Ce ne sont encore, pour l'instant, que des escarmouches latérales, qui s'attaquent seulement aux isolés, aux traînards. Mais déjà les flèches se précisent. Et nous apprendrons un beau matin, tout étonnés, que Sade, George Bataille, Mandiargues ou Pauline Réage sont de nouveau en prison, dans l'enfer bien gardé des bibliothèques. La duchesse de Beauvoir ne l'avait-elle pas explicitement proposé contre notre divin marquis ? Curieux combat pour la libération sexuelle, qui débouche aussitôt sur un bon vieux puritanisme castrateur.

Plusieurs générations de psychanalyse orthodoxe nous ont trop longtemps répété que les femmes, « privées » de phallus, ne pouvaient avoir non plus de fantasmes spécifiques. Beaucoup d'entre elles ont dû finir par le croire. Le progrès me paraîtrait peu sensible si l'on se contentait, maintenant, de dénier aussi à l'homme le droit d'en conserver. Serait-il possible, au contraire, de libérer cette fantasmatique féminine emmurée, exclue, absente, sans pourtant museler celle du partenaire ?

L'égalité des sexes dans la société future n'implique pas — je l'espère encore — la fadeur d'un nivellement égalitariste, d'une abolition radicale de toute différence, qui étendrait ses diktats jusque sur l'imaginaire, et ses cerbères jusque dans l'alcôve. Les fantasmes doivent tous sortir au grand jour, ils doivent s'épanouir, ils doivent aussi s'affronter. La possibilité qu'existe quelque jour un couple libre (qu'il soit homo ou hétérosexuel) ou encore un trio — pourquoi pas ? — ne peut advenir que dans une lutte des contraires exacerbés, impliquant, au moins, le jeu de l'esclavage et de la domination.

Vaincre et se soumettre. S'avouer « chose » et contraindre. Posséder et subir... Il n'y a pas de vie érotique possible sans de tels excès, une telle injustice. Mais personne ne devrait plus prétendre que les rôles ont été attribués d'avance : l'homme dessus, la femme dessous, pour l'éternité. Tous les cas sont admissibles. Tous les retournements sont souhaitables. Et, si l'on s'intéresse à l'inversion de l'archétype S-M, il faut lire chaque semaine les petites annonces de *Libération,* où des messieurs de tous âges réclament désespérément une dominatrice, cruelle de préférence. Pour plus de détails sur les mises en scène de servitude et d'humiliations qui se pratiquent véritablement, le récent livre de Catherine ne sera pas non plus inutile.

Quant à mon vieux camarade, Donatien Alphonse François de Sade, je voudrais pour clore ce chapitre le laver d'une calomnie qui ne cesse de me surprendre : le prétendu caractère univoque et machiste de ses obsessions. Non seulement il a créé le personnage de Juliette, tortionnaire femelle, resplendissante et docte, qui sacrifie garçons et filles pour son plaisir à l'instar de ses homologues masculins, et il lui consacre la plus copieuse et passionnée de ses histoires. Mais les aventures de sa sœur Justine, racontées d'autre part, ne me semblent pas non plus relever de cet asservissement spécifique du genre féminin qu'on y voit d'ordinaire.

Le rôle de Justine ne se limite guère, en effet, à celui passif d'objet sexuel, de victime en larmes, d'innocente brebis promise au couteau du boucher. D'un bout à l'autre des différentes versions successives du livre, la jeune fille s'affirme au contraire comme sujet actif : témoin conscient des tourments qu'elle endure et surtout — le plus important sans aucun doute aux yeux d'un écrivain — parole narratrice. Beaucoup plus que ses bourreaux de rencontre, éphémères et falots, presque interchangeables, c'est elle qui, par sa présence autant que par son récit en bonne et due forme, organise événements et commentaires. L'antagonisme qui oppose sa situation de prisonnière éternelle, soumise à toutes les vexations, et sa haute fonction ordonnatrice, c'est le paradoxe même du marquis de Sade, maître du verbe dans son cachot. D'où ce mot qu'on lui prête « Mademoiselle Justine, c'est moi », qui à mon sens est bien plus qu'une boutade.

Une autre contradiction me frappe, qui me touche aussi de près. Sade est à la mode. Le « joli » n'est pas à la mode. Or, Sade aime le joli (qu'il soit garçonnet ou fillette). Quant à moi, j'aime le joli et j'aime Sade ; et même, sans doute, je n'aimerais pas autant Sade s'il aimait le joli un peu moins. Définir ce terme, dans un tel contexte, est assez facile. Les innombrables descriptions du romancier, s'attardant avec délectation sur les traits (visage, taille, fesses, etc.) de ses jeunes victimes, composent un répertoire suffisamment insistant de formes, couleurs, expressions et attitudes, allant toutes dans le même sens, pour que s'en dégage une catégorie de beauté fort précise, codifiée de façon très étroite : la plus conventionnelle qui soit, la plus anodine, la moins dérangeante. Et, puisque toutes ses adolescentes sont « faites à peindre », résumons leur saveur érotique par le nom de ce liquoreux contemporain du marquis : Jean-Baptiste Greuze.

En dépit des prénoms, des détails biographiques ou des prétendus caractères, ce qui règne dans ce harem, c'est le pur anonymat. Il faut évidemment mettre Justine à part : véritable héroïne douée de « la » parole, elle occupe une tout autre place, échappant très vite au statut de marionnette puisée dans le trésor inépuisable des reproductions identiques. Les objets de plaisir, eux, doivent être aussitôt remplaçables par leurs doubles, tout frais, vierges et souriants. Le choix des élues, au début des *Cent vingt journées,* montre bien l'importance absolue de la norme. Le moindre écart, le moindre défaut par rapport à l'abstraction du modèle théorique donnerait une personnalité à l'esclave, qui risquerait de la faire accéder tout à coup à la dignité insupportable de sujet.

Contrairement à ce qui se passe ailleurs (chez Mirbeau, Apollinaire ou Bataille, par exemple), le joli constitue ici l'idéal champ du supplice. Un souci d'exhaustivité, toujours présent chez Sade, peut bien le conduire à bafouer çà et là cette règle, en exécutant quelques individus non conformes au charme mièvre de l'imagerie répertoriée (on y trouve même, à titre de preuve par l'exception, des vieux, des laids, des bancals), les visages d'anges et les grâces de bonbons fondants n'en affirment que mieux, par la lenteur et le raffinement des tortures progressives, leur prédominance sans partage. Le vocabulaire utilisé est, lui aussi, remarquable par l'emploi outrancier, exclusif, des épithètes et métaphores les plus consacrées par la tradition, qui restent bien sûr indispensables, puisqu'ils sont le lieu même du désir : à la stéréotypie des personnages correspond celle de leur adjectivité.

L'idée reçue aujourd'hui, concernant ces sucreries, affirme que Sade en a besoin pour placer davantage en lumière la violence de son propos. Ce serait précisément à cette joliesse de pacotille, à cet idéal fortement socialisé qu'il en veut. Si les figures et les corps doivent ressembler le plus possible aux canons de l'éros petit-bourgeois naissant, ce serait pour permettre de mieux saccager les normes du désirable, pour dresser sur cet horizon mou toute la force du scandale : moral, religieux, sexuel, esthétique, plastique, etc. Ces chairs à la fleur d'oranger, nous explique-t-on, sont nécessaires pour rehausser l'éclat du crime qui les outrage, comme les effets de langage orduriers ne peuvent s'épanouir dans toute leur puissance que sur ce fond lexical à la confiture de lis et de rose.

Voire... Il est si manifeste que Sade est ému, charnellement, par ses petites poupées qu'on est tenté de dire tout le contraire : le ruisselet de sang n'est là que pour mettre en valeur la perfection des courbes les plus délicates, la souffrance ne sert qu'à faire trembler d'émotion les fragiles chairs des lèvres ou de la poitrine, briller davantage la profondeur des yeux, bouger plus exquisément le ventre et les reins ; leurs supplices ne sont en somme qu'une amoureuse exacerbation des caresses qui leur rendraient un trop pâle hommage... Et le tableau demeure presque identique encore à notre *Cruche cassée,* avec cette seule différence que le trou qui crève le bas-ventre symbolique du vase a été pratiqué ici directement, à coups de poignard, dans le sadinet de la mignonne.

Ainsi toute l'œuvre du maudit d'entre les maudits apparaît soudain comme une immense adoration du plus répandu, du plus normalisé de nos fétiches sexuels : la jolie fille. Sade, dit le dictionnaire, signifie d'abord doux et charmant ! On voit qu'il ne faudrait pas me pousser beaucoup pour me faire dire que Sade et Michelet ont mené le même combat équivoque, en faveur du même idéal féminin à double visage.

Tout cela, évidemment, pour essayer de mieux comprendre les étranges relations érotiques, dualistes elles aussi, qui ont lié pendant plusieurs années Henri de Corinthe et la jeune Angélica von Salomon. J'ai dit — je crois — que celle-ci, remarquable exemplaire de jolie fille rousse, était la nièce de ce Frédéric de Boncourt, brillant officier prussien devenu le grand ami du comte dans les mois qui ont suivi l'armistice. Les deux hommes avaient alors, respectivement, vingt-neuf ans pour le Français et vingt-sept pour l'Allemand. Angélica est née sept années plus tard, c'est-à-dire en 1926, presque dans la même historique journée où Jean, duc de Guise, accédait au trône de France, son cousin Philippe d'Orléans étant mort sans descendance mâle.

La rayonnante Angélica comptait donc à peine quinze printemps, au mois d'avril 1941, lorsqu'elle est devenue la maîtresse officielle du comte Henri, alors âgé de cinquante-deux ans et qui aurait ainsi pu être son grand-père, ou peu s'en faut. On se rappelle que l'ancien cavalier conservait une jambe raidie depuis sa mémorable charge, sabre au clair à la tête de ses dragons dans l'absurde panache du désespoir, contre une colonne blindée du Troisième Reich dont les uniformes noirs lui rappelaient ceux des uhlans, durant la Première Guerre mondiale. Mais la fine canne d'argent qui ne le quittait jamais, comme aussi l'élégante claudication qui brisait imperceptiblement sa démarche, demeurée cependant altière, ajoutaient on ne sait quel prestige terrifiant aux charmes romantiques du héros fauché en plein combat.

Angélica n'avait pas connu son propre père, assassiné deux mois avant sa naissance dans des circonstances restées obscures, en relation plus ou moins directe avec les débuts difficiles du parti national-socialiste. Fille unique et adorée, élevée sans doute d'une façon trop lâche et permissive par une mère qui pensait ne plus avoir d'enfant, puisqu'elle ne voulait pas se remarier, l'adolescente regrettait inconsciemment l'absence d'une autorité paternelle plus ferme. En la personne de Corinthe, elle trouvait un substitut idéal, inspirant le respect autant que la crainte, d'autant plus digne de passion qu'il imposait à sa jeune conquête les contraintes sévères qui lui avaient tant manqué, impliquant même de fréquentes punitions — voire corporelles — si elle commettait la moindre faute. Aussi s'offrait-elle de menues entorses à la discipline (petits mensonges transparents, négligences dans sa lingerie intime, retards à des rendez-vous...), pour le seul plaisir de se voir châtier sans indulgence, avant les tendresses du lit. En fait, elle était amoureuse de ce maître inflexible, dont les élans du cœur ressemblaient tant, soudain, à de la férocité.

Elle était arrivée à Paris, avec la seconde vague des troupes d'occupation, dans un strict uniforme d'auxiliaire féminine dont la teinte vert mousse mettait en valeur ses magnifiques cheveux roux, que l'on s'étonnait d'abord de voir tolérés si longs et bouclés par l'administration militaire. Mais c'était déjà, bien évidemment, à de hautes interventions dans le parti qu'elle devait son engagement sous les drapeaux à un âge aussi tendre, inférieur d'au moins deux ans à ce que permettait la réglementation officielle. Ces mêmes instances protectrices lui laissaient en outre toute licence pour vivre, dans notre capitale conquise, d'une façon anormalement libre, ne se trouvant astreinte ni au logement dans une caserne, ni à la plupart des corvées dont ses camarades plus mûres supportaient le poids. (Le comte Henri en fait état, de façon explicite, dans ses carnets de guerre.) Je n'ai jamais compris exactement, pour ma part, en quoi consistait son travail.

Avant de savoir qu'elle était orpheline de père, je la croyais fille d'Ernst von Salomon, l'énigmatique auteur des *Réprouvés,* né à Kiel en 1902. J'ai beaucoup de raisons, à présent, pour penser que sa famille paternelle serait d'origine juive. Quant à sa mère, elle venait de la moyenne noblesse du Schleswig, annexé par la Prusse depuis 1864. Si Angélica était vraiment une nièce de Boncourt, ça ne pouvait donc être qu'à la mode de Bretagne. L'ami Frédéric l'avait présentée à Corinthe sous cette étiquette rassurante et commode, mais il est fort possible que des liens d'une tout autre nature l'aient uni lui-même à la précoce adolescente.

Son nouvel amant ne s'encombrait pas de telles précautions, pourtant bien compréhensibles : dès qu'elle quittait le costume militaire et malgré son éclat sensuel très affirmé, la petite soldate paraissait presque une enfant. La scène que je vais rapporter ici, rapide mais éternisée pour moi dans une durée sans contours, illustrera le choquant mélange de cérémonial, d'indécence hautaine et de provocation qui marquait leurs rapports érotiques, dont Corinthe affichait en public, comme à plaisir, le caractère incongru, exorbitant. Je tiens d'autant plus à en retracer les détails avec précision qu'il s'agit d'une des très rares circonstances où je me suis trouvé personnellement mêlé (témoin modeste et anonyme, évidemment) aux aventures intimes de mon héros. J'espère ne pas le trahir, ne pas altérer la pureté des gestes et des bruits qui, j'imagine, sont demeurés depuis lors « gravés dans ma mémoire ». Mais à leur déroulement direct, sans flou ni bavure, se mêle à présent le récit oral, dont je me souviens d'une façon tout aussi vive, que j'en ai fait douze ou quinze ans plus tard à Georges Bataille, sans doute à propos de *L'abbé C...,* le décor de la brasserie Lipp et ses clients plus ou moins célèbres se superposant dans ma tête à l'architecture encore plus pompeuse du palais Garnier, avec comme figurants les rigides officiers de la Wehr-macht.

Cela se passe en effet dans le grand foyer de l'Opéra, vers la fin de l'entracte, lors d'une des soirées habillées qui ont alors lieu tous les mercredis. On donne ce jour-là un nouveau ballet de Serge Lifar, très probablement *Le chevalier et la damoiselle*. Comme d'habitude, j'ai dû faire plusieurs heures de queue, rue Scribe, avec ma sœur Anne-Lise, une semaine auparavant, pour obtenir les précieuses places à bon marché dans l'amphithéâtre qui se trouve tout en haut de l'immense salle, sous les combles. Seuls les fauteuils d'orchestre, la corbeille et les premières loges requièrent l'habit, le smoking ou le grand uniforme. Cependant la ségrégation n'est pas étanche et les spectateurs moins reluisants ont la possibi-lité, à demi clandestine, d'accéder aux escaliers d'hon-neur, galeries d'apparat, colonnades, où circule à petits pas cette foule silencieuse et chamarrée.

Vers le bar, un très léger murmure de salon feutré court sous les claquements plus secs, tout aussi discrets néanmoins, comme retenus, des fines bottes vernies sur le sol de marbre aux motifs en arabesques. Un couple y attire aussitôt mon attention, par son insolite présence en ces lieux qui matérialisent notre défaite et la réserve à quoi nous sommes désormais contraints par l'élémen-taire bienséance : un officier supérieur de la défunte armée française, dominant de sa stature altière une éblouissante jeune fille en robe de mousseline blanche, d'autant plus remarquable avec ses épaules nues et son abondante chevelure rousse, flamboyant sous les lustres, qu'elle est presque la seule femme de l'assemblée, hormis quelques douairières en tuniques sombres. (Ma sœur, peu hardie ou moins curieuse, est demeurée dans notre lointain paradis.)

A peine ai-je eu le temps de reconnaître Henri de Corinthe dans ce brillant colonel en tenue kaki réglementaire, taillée avec élégance et garnie d'une double brochette de décorations en minces rubans multicolores, dont sa compagne aux yeux levés, une coupe à la main, semble interroger les tempes grises, que des vareuses vert amande s'interposent et obturent d'un seul coup mon champ visuel. Juste à cet instant, un tintement clair de cristal qui se brise en mille miettes provoque un soudain silence, absolu cette fois, comme si la bande sonore du film venait d'être coupée.

Les deux Allemands, devant moi, s'écartent lentement de chaque côté, avec précaution, sans produire le moindre froissement d'étoffe ou crissement de cuir, dégageant à nouveau ma vue. Les autres hommes font de même, reculant de façon presque imperceptible, pour former un cercle lâche autour du couple scandaleux. Corinthe, lui, n'a pas bougé, toujours appuyé du bras gauche à sa canne d'argent. Ensuite son regard s'abaisse, avec un inexplicable retard, vers la jeune fille qui gît à ses pieds sur la marqueterie de marbre luisant, apparemment inanimée.

Des éclats de verre jonchent le sol entre la damoiselle et son chevalier, immobiles l'un et l'autre, ainsi désormais que toute l'assistance. La belle évanouie conserve encore entre les doigts exangues de sa main droite le pied gracile en cristal taillé, demeuré intact, qui, à la place du réceptacle détruit, se termine à présent par une pointe courbe, effilée comme si c'était quelque arme blanche : fragile et menu poignard transparent, pour transpercer des fantômes.

Un peu plus haut, l'étroit poignet se trouve emprisonné dans un curieux bracelet coupant, une sorte de disque évidé en son centre, forgé dans un métal qui pourrait être aussi de l'argent, ou du platine, mais qui ressemble davantage à l'acier chromé dont sont faites les menottes, avec d'ailleurs leur bout de chaîne, formant gourmette, fixée à un petit anneau. L'autre main est ramenée vers les cheveux, coude fléchi. Alors que le bras droit s'offre dans sa nudité jusqu'à la naissance du sein, ce bras-ci reste gainé d'un long fourreau de chevreau blanc, qui monte presque sous l'aisselle. Le second gant, sans doute ôté pour boire, a disparu.

La coupe devait avoir été remplie par un tout autre liquide que du champagne, car, en répandant les dernières gorgées de son contenu, elle a laissé une large tache rose vif sur la blancheur de la robe, aux environs de l'aine et du pubis. Angélica, dans sa chute molle (on n'en a même pas perçu le souffle étouffé), a disjoint les jambes et replié un genou. Son corps est étendu sur le dos, légèrement arqué vers le côté gauche, comme si elle cherchait à fuir ce fragment de verre que pourtant elle n'a pas lâché. L'unique soulier qui émerge sous les plis de la mousseline est entièrement revêtu par des paillettes d'un bleu intense, semblable à celui de l'océan Pacifique au-delà du lagon. Les yeux, demeurés grands ouverts, sont exactement de la même teinte ; si on les regarde avec attention, ils deviennent vite effrayants, dans l'extrême pâleur du visage à la dérive. Sans plus de fard que sur les paupières ou pommettes, la bouche charnue, entrouverte, est elle aussi décolorée par l'effet de mort.

Après un laps de temps impossible à évaluer, le tableau s'anime, mais avec une extrême lenteur. Devant l'assistance aussi figée que dans la vitrine d'un quelconque musée Grévin, Corinthe, du bout de sa canne, remonte l'ample jupe en tissu vaporeux, dégageant d'abord l'autre pied, qui a perdu sa chaussure, puis, progressivement, les longues jambes, moulées dans des bas blancs en dentelle très fine, le haut des cuisses et la chair nue, au-dessus des jarretières garnies de minuscules roses couleur d'azur, enfin le slip de dentelle, maculé non pas cette fois par le breuvage empoisonné qui peut-être a causé cette syncope, mais par du sang vermeil, encore humide, dont l'écoulement sourd au bas de la toison d'or roux, bien visible par endroit entre les mailles du dessin ajouré aux guirlandes fleuries...

Quelqu'un dit, à mi-voix : « Vous êtes fou ! » Deux jeunes officiers de la Wehrmacht font un pas en avant, pour interrompre cette exhibition honteuse. Aussitôt, un homme plus âgé portant un uniforme noir (que j'imagine être celui des services de sécurité du Reich) intervient avec calme : d'un geste bref de la main gauche, il leur fait signe de s'arrêter, tandis qu'avec la droite il tire vers le haut, dans la pochette extérieure de sa tunique, mais sans l'extraire tout à fait, faisant seulement dépasser ce qu'il convient de voir, une carte métallique barrée d'un bandeau rouge, avec la croix gammée qui se détache en noir sur un disque blanc. Dans un rapide garde-à-vous, les deux lieutenants claquent des talons, mus par leurs mécanismes synchrones.

C'est ce choc, percutant comme un coup de feu, qui paraît rompre le charme. On entend alors, dans le silence qui suit, incroyablement grêle et lointaine, la petite sonnerie de réveil-matin annonçant la fin de l'entracte. Les figures de cire se détendent, les corps exécutent une demi-volte à peine guindée, presque avec naturel, et chacun, sans se hâter, se dirige vers la salle comme s'il n'avait rien vu d'exceptionnel, échangeant quelques paroles banales avec un camarade sur Lifar et Chauviré, les vedettes du jour. Corinthe soutient discrètement Angélica, qui, princesse au Bois dormant, s'est relevée avec une grâce légère et reprend déjà des couleurs. Il dit : « Un malaise... Nous allons rentrer. » Le personnage en noir lui adresse un sourire. Je suis sûr, aujourd'hui, que cet homme était Frédéric de Boncourt.

Cette frêle sonnerie, perdue dans un rêve, se trouve désormais vers la fin de *Trans-Europ-Express,* quand retombe sans vie la jolie tête de Marie-France Pisier attachée à son grand lit de cuivre. Trintignant, qui vient de l'étrangler, lâche enfin sa proie et se retire avec douceur. Le corps à l'abandon, la robe retroussée, l'entre-cuisses tachée de sang figurent pour leur part dans *La belle captive* et *Le jeu avec le feu* (où l'on voit aussi la tendre Anicée Alvina en uniforme de la Wehrmacht, avec ses longs cheveux dorés sous le casque trop lourd), ainsi que — si ma mémoire est bonne — dans *La vie criminelle d'Archibald de la Cruz.* Le verre en cristal, qui éclate en mille morceaux étincelants sur un sol de marbre lisse, se répète, lui, avec insistance, tout au long de mes petits travaux.

Quant à la belle Angélica, elle a disparu sur le front de Normandie, au mois de juillet 1944. Elle avait réussi, sous un faux nom bien entendu, les cheveux rasés à deux centimètres du crâne et la poitrine comprimée par un bandage extensible pour le pansement des plaies, à s'engager dès le débarquement américain dans une unité combattante d'élite : la division « Der Führer », où la complicité d'un capitaine lui aurait — dit-on — évité tout conseil de révision et autre inspection gênante. Son corps n'a jamais été retrouvé. Souvent je me persuade qu'elle a pu être enterrée ici même, dans le parc du Mesnil, plus ou moins en catimini.

Ma grande maison, qui ne m'appartenait pas encore, servait alors d'hôpital auxiliaire de campagne, et peut-être la vaste croix rouge peinte sur sa toiture lui a-t-elle évité la destruction. La fermière voisine m'a donné récemment une photographie, prise à cette époque par le frère d'un jeune soldat tombé ainsi aux confins du bocage, qui montre la prairie sous les grands frênes, à trente mètres du pignon ouest, à travers lequel regarde la troisième fenêtre de mon bureau. On y voit, sur la terre fraîchement remuée des tombes, treize larges croix de bois peintes en blanc, avec les inscriptions tradition-nelles identifiant les cadavres qu'on vient d'y enfouir, et des petits bouquets de fleurs sauvages.

Dans la première rangée, sous le sigle alors glorieux des S.S. selon sa figuration oblique en anciennes runes, on lit distinctement les noms et les prénoms, calligra-phiés en caractères gothiques d'imprimerie, suivis au-dessous par une date de naissance. La dernière ligne, écrite en plus petit, comporte une série de chiffres et d'abréviations qui se termine sur le refrain lugubre : Rgt. 4 « Der Führer ». Un de ces Ernst ou Heinrich pourrait tout aussi bien masquer les restes dérisoires d'Angélica. Ils avaient tous entre dix-sept et dix-neuf ans. Plus tard, leurs dépouilles mortelles ont été regrou-pées dans un grand cimetière militaire aux croix unifor-mes, alignées comme des pieds de vignes, où le sigle maudit a été pudiquement supprimé.

« Heureux ceux qui sont morts, car ils sont retournés dans le premier sillon de la première terre, heureux ceux qui sont morts dans une juste guerre... » Et les autres alors ? Ceux-là qui, croyant servir l'honneur de la patrie allemande, tombaient sans même pouvoir s'en rendre compte (c'étaient des enfants) du mauvais côté de l'Histoire, je veux dire vers l'horreur, la démence et la barbarie, que sont-ils devenus au paradis des guerriers, dont l'*ankou* a récolté l'âme navrée sur les champs de bataille ? Peut-être ces héros malheureux, qui mouraient pour une cause injuste et monstrueuse, sont-ils condamnés à l'éternelle errance au milieu des plaines enneigées où, goutte à goutte, s'écoule encore le sang de leurs victimes ? D'innombrables légendes, qui courent à travers nos campagnes hallucinées, sont là, du moins, pour en porter le témoignage...

Le spectre sauvage et glacé de la Grande Catherine apparut ainsi, sur les bords désolés du lac Baïkal, ou peut-être en Mongolie-Extérieure, dans les toutes premières années du XIXe siècle, c'est-à-dire très peu de temps après la mort de l'impératrice qui avait porté ce surnom ambigu. L'imagerie populaire la représente enveloppée d'un immense manteau de renard bleu, dont la partie inférieure, largement évasée, se fend depuis la taille sur de hautes bottes blanches dans un envol frémissant de la fourrure, soulevée par quelque mouvement de tout le corps, sensuel, violent, majestueux. Les pans du manteau se retournent, laissant apercevoir un instant leur revers de soie pourpre. De la poitrine jusqu'au sol de neige, la tsarine fantôme ressemble ainsi le plus souvent à un sexe féminin démesuré, terrifiant, somptueusement écartelé dans une ouverture de rêve. Mais, au-dessus, une petite main gantée de fer brandit hors de l'ample manche d'isatis un long sabre courbe à la garde cruciforme, sans doute d'origine turque, terminé en pointe finement effilée.

Au galop des soldats perdus, cette image se répand comme le feu à travers les steppes de l'Asie centrale, depuis l'Oural et le Kazakhstan jusqu'à la Mandchourie, la Chine du Nord et les territoires nippons continentaux. La rouge impératrice s'introduit même, peu de temps après, dans la peinture japonaise traditionnelle de l'ancien royaume hermétiquement clos des Shogouns, qui commence tout juste alors à respirer le vent d'ouest. En fait, il est probable que non pas une seule, mais plusieurs jeunes femmes ambitieuses et cruelles, aux charmes fatals, au tempérament impétueux, à la sexualité nettement corrompue, se seraient signalées vers cette même époque — en même temps parfois, ou bien de façon successive — par leurs spectaculaires exploits guerriers, vite devenus légendaires, dans divers points de ces vastes territoires en proie à d'incessantes convulsions. La prétendue princesse morte pouvait ainsi, au cours des ans, demeurer toujours jeune et belle. Et il lui arrivait aussi bien de traverser, dans la même semaine, des régions dévastées distantes d'un millier de kilomètres, ou beaucoup plus encore.

A la tête de cavaliers kirghizes, fanatisés par cette aura surnaturelle qui entourait leur maîtresse, dont les prouesses effroyables exacerbaient à la fois leur courage viril et ces instincts sanguinaires, voluptueux, que l'on remarque trop souvent au sein des hordes conquérantes, la nouvelle Sémiramis caracolait, le sabre nu exécutant une sorte de danse, sur son étalon blanc à la crinière de dragon, semant partout l'épouvante, incendiant les isbas, émasculant les hommes à coups de hache, éventrant

226

leurs petites femelles enceintes, clouées nues en croix de Saint-André sur la porte des granges, ou bien, pour orner la place triangulaire des villages vaincus, faisant empaler à force six ou sept vierges gémissantes sur des pieux de bois trop gros pour leur étroit connin, l'extrême pointe de leurs pieds nus dressés atteignant juste le sol afin que le pal les pénètre plus lentement, cinglées à coups de fouet sur les fesses et le bas du ventre, puis, le soir venu, ordonnant qu'on rôtisse tout vifs trois douzaines de bébés, pour offrir un banquet à ses capitaines.

Un peu plus tard dans la nuit, elle fera traire, à genoux en ligne devant elle, les jeunes mères éplorées, pour masser ensuite les parties délicates de son propre corps dans un bain de doux lait tiède, tandis qu'on leur arrachera les seins sous ses yeux, l'une après l'autre, ou bien qu'on les leur brûlera par touches successives avec des fers rougis, ou qu'on les livrera aux crocs des molosses. La tradition rapporte encore qu'elle se plaisait au petit matin, pour clore ses orgies nocturnes, à voir écorcher vivants ou écarteler par quatre chevaux, après leur avoir tenaillé le sexe de ses propres mains, les plus beaux des captifs dont elle venait de jouir.

Frileuse amazone perdue parmi les plis des renards bleus, elle chevauche sans fin sur les corps disloqués de ses victimes expirantes en récitant des poèmes d'amour. Dans ses palais de hasard, elle compose des tableaux vivants religieux — qui sont bientôt des tableaux de mort — avec l'histoire de saint Sébastien, celle de sainte Agathe ou de sainte Blandine, de saint Jean Baptiste et de Salomé, ou bien celle encore de sainte Angélique qui périt sous Dioclétien après un long martyre, sciée en deux (les pieds suspendus à des crochets de fer très écartés) depuis le pubis jusqu'à la taille. Elle pose un jour pour un peintre d'icônes en costume de madone italienne, avec une auréole de diamants couronnant ses cheveux d'or (c'est après le pillage d'une église) ; mais, vers le bas de la toile, son sexe blond et rose, ouvert par la posture, est exposé dans l'entrebâillement d'une robe en velours bleu pâle, tandis qu'un bambin fraîchement égorgé, dont le sang tache encore ses fines mains parées de bijoux, gît près de son pied nu sur le sol de marbre. Elle joue, dit-on, de son instrument favori — un violon tzigane — pendant le supplice de ses amants d'un soir. Elle aime la musique, l'amour, la dentelle, les parfums, les boissons enivrantes...

Chaque nuit à la même heure, juste avant le premier chant du coq, elle fait le même cauchemar. Elle est assaillie sur son lit par des bêtes immondes, qui ont des corps annelés, des carapaces molles, de longues antennes palpeuses, une multitude de pattes crochues, des mandibules à venin. Ça arrive de tous les côtés à la fois, de façon inexorable. Ça s'avance vers son corps dénudé, incapable du moindre geste, glacé d'horreur. Ça tient à la fois du crabe et de la scutigère, de la punaise et de l'araignée. Pendant son sommeil, on l'a mise par erreur dans un tombeau, où elle se voit livrée vivante à la vermine nécrophage. Dans le grouillement qui l'entoure, elle distingue des bestioles qui sont grosses à peine comme l'ongle du pouce ; d'autres sont plus larges qu'une main de bourreau... Ça monte déjà sur ses hanches, sur ses cuisses, ça commence à pénétrer par tous les orifices de sa chair...

L'impératrice sanglante se réveille en hurlant. Ayez pitié, mon Dieu ! Ayez pitié ! Pour apaiser ce dieu de terreur, il lui faudra donc demain commettre des crimes encore plus grandioses, dans l'espoir de chasser ces fantômes qui la poursuivent. Demain, elle fuira au galop à travers les immenses plaines, saccageant et massacrant tout sur son passage. Elle rêve déjà des beaux garçons musclés ou des fraîches adolescentes aux doux yeux de biches qu'elle fera se tordre sous la torture... Elle entend déjà leurs soupirs et leurs cris... Dans la mousse de renard blond, chaude et ruisselante, lentement, elle commence à se caresser.

Je m'avance avec un croissant malaise, appréhension peut-être, avec lenteur en tout cas, dans une sorte de souterrain très encombré (engorgé, même, en dépit de ses dimensions sans doute considérables), que j'imagine bourré de pièges (j'allais dire : pourri)... La lumière est vive par endroit, sans que l'on puisse deviner d'où elle tombe, laissant tout à côté des plages d'ombre dense, et comme visqueuse. Cependant, même dans les zones bien éclairées, la précision des lignes est suspecte, car on aurait du mal à rattacher ces fragments trop nets, trop dessinés (le tracé sans bavure d'une pointe aiguë) à quelque figure d'ensemble nommément identifiable.

L'impression qui domine, au milieu de cette dangereuse incertitude, est qu'il doit y avoir là une grande quantité de chevaux éventrés, des étalons à musculature massive, avec des herses, des crocs de boucher, et des socs de charrue, avec aussi des femmes nues aux formes splendides, mêlées au carnage. Je pense à la mort de Sardanapale, évidemment, mais la scène qui m'entoure se situerait plusieurs minutes après l'instant fragile immobilisé par Delacroix, où toutes les courbes du désir sont encore rangées à leurs places diurnes, encadrées en bon ordre dans les planches « Beaux-Arts » du Larousse universel qui enchantait mon enfance. Tandis qu'ici, devant moi, derrière moi, sur ma droite ou sur ma gauche, et presque sous mes pas, ce qui s'offre aux sens révulsés ce sont les hontes secrètes de l'anatomie : les orifices écartelés, les entrailles répandues, les sécrétions, les pertes.

Une pointe aiguë, ai-je dit. Oui, le gluant et l'acéré semblent, maintenant, s'engendrer en cercle l'un l'autre, le fin couteau de l'exécuteur appartenir au même monstre que la chair ignominieuse qui s'entaille (se débonde), les sexes s'invertir, insidieusement, et s'invaginer l'arme du crime. Parvenant non sans peine à vaincre mon horreur, ou bien au contraire enfin vaincu par elle, je me décide à toucher... J'approche une paume tendue, doigts écartés, vers cette substance innommable... Ma surprise est immense : tout cela est en métal poli, sec, luisant mais dur, et froid comme de la glace. Non, je ne suis pas surpris : je le savais déjà, bien entendu.

Je m'avance toujours, à pas lents, devisant avec un autre personnage vêtu d'une toge romaine, le long d'une allée rectiligne, interminable, bordée de chaque côté par un exubérant paysage en bronze pâle et lisse, lustré sans aucun doute par les attouchements répétés des visiteurs. Une lumière d'éclipse, que j'ai envie de nommer souterraine, fait briller les contours de cette monumentale sculpture exaspérée qui se déroule de part et d'autre de notre chemin. On croirait le jardin Viegeland, à Oslo, sous le soleil paradoxal de minuit, bien que l'avalanche des corps donne ici la sensation angoissante d'un imminent manque d'air.

Mais la sérénité de mon compagnon n'en paraît pas

affectée le moins du monde. Notre propos, calme, de bon ton et régulièrement dialogué, selon les règles de toute philosophie péripathétique, tourne autour d'un sujet que je perçois — à vrai dire — assez mal, mais qui doit être quelque chose comme : le vide peut-il avoir une forme ? Ou, plus précisément : comment un trou parviendrait-il à être pointu ? Des hommes nus, montés sur de grosses motocyclettes aux parures éblouissantes, nous croisent de temps à autre, sans faire le moindre bruit, parcourant en sens inverse cette même route droite que nous suivons nous aussi (depuis quand ?), toujours renouvelée, toujours semblable à elle-même, « ... selon la loi des imaginations perverses ». Nous les saluons d'un signe paisible, de la main droite ou de la main gauche, selon qu'ils passent d'un côté ou de l'autre.

« Comme de grands insectes improbables », dit mon compagnon de promenade, de sa même voix docte et cérémonieuse, sans que je sache à quoi se rapporte au juste cette comparaison. Et, un peu plus tard, il dit encore : « Le vagin à dents est une chimère. » Je voudrais répondre (répondre quoi ?), mais aucun son ne sort de ma bouche, pourtant demeurée entrouverte, dont j'essaie en vain désormais de faire bouger les lèvres, la langue, l'articulation des mâchoires : tout cela est comme soudé. Ou plutôt — je le comprends à présent, trop tard — tout cela (et tout le reste aussi de mon corps, c'est-à-dire tout ce qui reste de mon corps) est définitivement figé, immuable, insensible, coulé dans le même bronze blafard que les autres statues du souterrain, les machines à scalpels et à engrenages, les engins silencieux, les motards accidentés qui gisent à leur tour au premier plan de ce désordre hurlant frappé d'immanente stupeur, visage déchiré, membres disloqués, ventre ouvert, parmi les chevaux morts et les ferrailles.

Et tout cela s'écoule de ma propre bouche aux lèvres molles et disjointes, solidifiées. A la place des mots bien ordonnés qui faisaient semblant de pouvoir penser le désastre, ce qui sort de moi, de toute part, c'est cette chose immonde, incalculable, où je m'enlise... « Cauchemar de petit garçon trop nerveux à forte tension sadique-anale », prononce la voix du maître à mes côtés. Mais le personnage à la toge immaculée, en fait, a disparu de la scène, depuis longtemps. Il poursuit sans doute au-delà sa course tranquille, angélique, m'abandonnant pour toujours aux vieux rêves de la porte interdite qui condamne la chambre aux excréments, de toute éternité, à la malédiction divine.

Incalculable, ai-je dit. Oui, peut-être... mais ce n'est pas certain. Il doit bien y avoir une loi de ces révolutions, de ces constellations, de ces figures. Ce que je sais seulement, aujourd'hui, c'est que je ne serai jamais moi-même capable d'en mener à bien le calcul, contrairement à ce que j'avais cru jadis, avec tant de passion. Egaré de façon définitive dans le dédale interne des organes, où je me suis aventuré, trompé par les fistules et les anastomoses, pris au piège de mon désir trop fort d'y faire régner l'ordre, mon ordre, j'ai perdu... je ne sais quel espoir, déraisonnable. J'ai perdu... Chose dorénavant parmi les choses, l'informe, peu à peu, se referme sur moi.

C'était encore l'hiver. A mon réveil, ce matin-là, j'ai vu qu'il avait neigé toute la nuit, ou pour le moins durant plusieurs heures, car la couche qui recouvrait le jardin à la française et toute la campagne alentour semblait atteindre une dizaine de centimètres, ou même plus, ce qui n'est pas fréquent dans ces plaines normandes aux ondulations molles, si proches de la mer que la pluie se met très vite à tomber, sitôt que le grand froid cesse. Mais c'est à peine, aujourd'hui, si le quadrillage des allées entre les pelouses rectangulaires reste encore visible, sous la forme de faibles ressauts arrondis marquant la différence des niveaux. Quant au galbe soigneusement entretenu du terrain, coupant de quatre dépressions symétriques la pente qui serait trop monotone depuis le perron jusqu'à l'eau, on le devine encore plus difficilement sous la lumière sans contraste. Seules demeurent, enveloppées d'ouate fraîche, les quelques marches qui à deux reprises correspondent à ces concavités du gazon moussu dans l'allée centrale, plus large que les autres, dont l'axe se prolonge ensuite entre les deux bassins, puis à travers le sous-bois. Le ciel est uniformément d'un gris très pâle, blême, comme absent.

Vers le sud, au-delà des arbres dénudés, qui n'ont pas retenu les flocons trop subtils et sont donc demeurés bien noirs sur le sol blanc, la grande prairie appartenant à la ferme est toute blanche elle aussi, sans aucun relief, malgré le ruisseau qui la coupe en deux (parallèlement à l'orée du bois) et la forte remontée du vallon sur son autre versant. Quatre chevaux noirs y marchent d'un pas vif, à la suite l'un de l'autre, la parcourant dans toute sa longueur parallèlement au ruisseau invisible, à la clôture barbelée du parc, au bord des bassins gelés jusqu'où s'avancent les premiers tilleuls, aux allées est-ouest du jardin à la française, et à la façade grise de la maison.

L'image me frappe par sa beauté rigoureuse, nette, cristalline, sans nuance, dans une sorte de platitude en noir et blanc, comme un dessin japonais stylisé, mais d'une exceptionnelle finesse. D'où je suis placé, à la fenêtre au midi de ma chambre-bureau, les troncs plus ou moins droits laissent voir, en bandes verticales parallèles, les deux tiers environ de la surface blanche où les chevaux, nerveux, inquiétés par cette neige inattendue, passent et repassent de leur demi trot cadencé, légèrement dansant, encolure et tête dressées. Plus haut, les ramures des chênes et des charmes à l'écorce lisse s'entremêlent, en un réseau de branchettes noires qui semble tracé à la plume, ou avec un pinceau très effilé, trempé dans l'encre de Chine. On n'entend pas le plus faible bruit d'oiseau, ni de chien, ni d'aucun autre animal, sauvage ou domestique, non plus que de machine agricole ou de voiture. Les chevaux, eux aussi, sont parfaitement silencieux. En dépit de leur mouvement qui se poursuit de façon régulière, recommencée, prévisible, on dirait que toute vie s'est arrêtée.

Soudain, cette image trop pure, trop immobile, abstraite et froide, m'a semblé une image de mort, comme si les quatre bêtes, sveltes et faites pour la course (ce sont des trotteurs, que le fils du fermier entraîne) avaient tiré sans répit un fragile cercueil en ébène aux ferronneries d'argent, ou bien le tombereau fantôme marqué d'une croix blanche aux branches empattées, à demi effacée par le temps. Plusieurs séquences nocturnes ont alors retraversé ma tête, brèves et fuyantes, décousues, répétitives en même temps qu'insaisissables, s'éloignant de plus en plus.

Un soir — je crois que c'était chez Bernard Dufour — dans une réunion d'amis où il y avait surtout des peintres, dont l'Allemande Sibylle Ruppert, mais aussi Catherine Millet, Jacques Henric, Martine, peut-être les

Nahon, Denis Roche..., quelqu'un (ça devait être Bernard) a prétendu que le rêve classique des lieux d'aisance trop souillés pour que j'ose à mon tour m'en servir, en dépit d'un besoin d'ailleurs imaginaire, est un cauchemar spécifiquement masculin et qu'il y aurait même là, sans doute, un moyen très sûr pour distinguer les femmes des hommes. Nous étions sensiblement à égalité dans l'assistance, une dizaine de chaque sexe ; un rapide sondage sur cette population — malheureusement trop réduite — a donné raison aussitôt, haut la main, à mon vieux camarade aux yeux d'éternel adolescent. Les femmes, elles, moins unanimes, penchaient nettement pour l'escalier vertigineux, auquel il manque des marches, où l'on dégringole aspiré par le vide, sans parvenir à reprendre pied. La neige s'est remise à tomber, déjà plus lourde, collant à présent aux branches et aux troncs.

C'est par un jour de neige aussi que nous avons vu le Mesnil pour la première fois. Mais il faisait un pimpant soleil d'hiver dans un air transparent, sec et vif. Je voulais vivre à la campagne, Catherine refusait avec énergie le genre fermette restaurée où l'on est trop proche des intempéries, de la boue, des commères du village, et nous visitions, le dimanche, de plus dignes demeures à vendre dont nous avions lu les descriptions dans des journaux spécialisés. Le plus souvent, Jérôme Lindon nous accompagnait, et même nous y conduisait dans sa propre voiture puisque nous n'en possédions pas, se passionnant à chaque fois pour l'entreprise comme si elle n'avait pas été aussi aléatoire que chimérique.

Je ferai en une autre occasion le récit (dans la mesure où j'y repenserai) d'une aventure encore plus illusoire, quelques années plus tôt, Catherine allant toute seule à Brest en pleines tempêtes hivernales, pour se rendre en compagnie de ma mère du côté de Porsmoguer-en-Plouarzel dans l'intention d'y acheter une batterie côtière désaffectée, construite par Vauban à l'intérieur de la falaise face au large, en cet extrême ouest du Finistère où, précisément, Henri de Corinthe était mort dans une aussi austère retraite, exposée de même aux violences de l'océan. Maman déjà très âgée, ma petite épouse qui paraissait alors une enfant, avaient dû transporter des échelles sur une camionnette de location, afin d'accéder aux rares ouvertures par les douves taillées dans le roc. La vente s'était faite le lendemain, aux enchères à la chandelle selon le rituel d'autrefois, et Catherine avait très vite abandonné, faute des moindres sous, bien que la mise à prix fût dérisoire.

Jérôme et moi, aux Editions de Minuit, nous parlions à l'avance de nos expéditions, avec gaieté, avec insouciance : « Dimanche prochain, on pourrait aller acheter un château ? » Cette fois-ci, tous les trois, dès le chemin d'où nous apercevions la propriété à travers une haie d'épines (nous étions arrivés avant l'heure convenue), nous avons été fiévreux d'enthousiasme. Le parc, alors presque à l'abandon, prenait au contraire dans la neige éblouissante, sous le ciel d'un bleu très pâle, une netteté d'épure, mais excitante, joyeuse. Hélas, c'était trop beau : le grand escalier de pierre blanche à jour passant, avec sa rampe noire forgée sous Louis XV, le salon blanc rechampi de vieil or où un soleil bas pénétrait de part en part (de tous les côtés à la fois !) par les quatre fenêtres à petits carreaux, les profondes cheminées

Louis XIV et Louis XVI où brûlaient d'énormes souches, les pièces d'eau gelées, scintillantes, sur lesquelles patinaient comme jadis une petite fille et un petit garçon en lainages sombres, ces richesses hors d'âge et bien d'autres encore étaient très au-dessus de mes modestes moyens.

Sans hésiter, Jérôme m'a déclaré que ça n'avait pas d'importance, qu'il m'avancerait l'argent qui manquait (c'est-à-dire la plus grande part) et le retiendrait ensuite sur mes futurs droits d'auteur, ce qui représentait certes une preuve d'amitié autant que d'estime, mais pouvait paraître, à l'époque, un pari aventureux... Nous voilà tout à coup châtelains, Catherine et moi, par la grâce divine... L'autoroute de Normandie n'existait pas encore et déjà il fallait rentrer, les yeux pleins de rêves. Ce soir-là, en roulant vers Paris dans son automobile, je me rappelle avoir raconté à Jérôme (était-ce un gage de reconnaissance?) que la fillette du *Voyeur* avait existé bel et bien, comme d'ailleurs tout ce qui se trouve dans mes livres, qu'elle ne s'appelait ni Violette ni Jacqueline, mais Angélique, et que je dirais peut-être un jour sa vraie histoire. Le ferai-je?

Ses parents, dont les riches ancêtres avaient autrefois tenu le haut du pavé dans l'ancien ghetto de Venise, portaient le nom d'Arno qui sonnait presque breton : j'ai connu plus tard des Eveno et des Armeno dans le Morbihan. Ils passaient leurs vacances d'été dans une belle construction d'allure Renaissance datant du XIXᵉ siècle, entourée d'un grand parc sauvage propice aux imaginations enfantines, tout près de la mer (mais au fond d'une anse très abritée, comme il en existe fréquemment au pays de Léon) à quelque trois kilomètres de notre Maison Noire, qui se trouve à l'intérieur des terres. Le trajet n'est pas long à bicyclette. Angélique a douze ans et moi treize, elle est plus petite que moi, mais sans aucun doute plus précoce et elle s'amuse à exciter mes jeunes émois dans des corps à corps où nous faisons semblant de nous battre. En fait, j'ai très peur de lui faire le moindre mal et elle-même paraît surtout curieuse de se frotter contre moi, quand je l'immobilise dans l'herbe, couché sur elle et lui tenant les poignets.

Un jour que, venant de la capturer après une longue course, je la serre ainsi dans un amas de foin odorant où elle s'est laissé tomber fort à propos, soudain toute molle et censément vaincue, elle dit à mi-voix, en me regardant de ses yeux bleus improbables : « Mords-moi la bouche, pour me punir. » Mon cœur bat plus vite et j'hésite à comprendre. La punir de quoi ? Alors, elle entrouvre ses lèvres, qui sont charnues et douces (je le sais, je les ai touchées, comme par mégarde). Voulant m'exécuter, je relâche mon étreinte. Elle proteste, câline : « Non, non ! Tiens-moi fort, ou je vais me sauver... » J'éprouve une sorte de révélation religieuse, obscure, angoissante : le désir du désir de l'autre. Avec mes jambes, j'écarte les siennes pour écraser ses cuisses et son ventre, comme si je voulais l'ouvrir en deux, coquillage fendu de force par surprise. Elle se laisse faire, tout en simulant une faible révolte, pour que je sente monter dans ma chair la fièvre de possession. Cependant, j'ose à peine lécher, puis mordiller sa bouche offerte. Elle me repousse d'un seul coup, brutalement, pour se redresser dans un bond de chevreau. Ensuite elle boude, muette et lointaine. On dit que les filles ne savent pas ce qu'elles veulent.

Je pense qu'elle se livre à des jeux du même genre en

compagnie de garçons plus mûrs. Mais, avec moi, elle doit se sentir plus en sécurité, maîtresse de toutes les cartes. Mon très jeune âge, mon air timide et tendre, ma voix qui mue, dont je me sers le moins possible tant je crains ses défaillances, mon état incontestable de puceau, tout la rassure et l'autorise à pousser la provocation beaucoup plus loin qu'avec les adultes. Elle compense le manque de sérieux, c'est-à-dire le peu de risques réels qu'elle court entre mes bras, par l'appel effronté à de plus violents outrages. En un sens, elle se moque de moi ; mais en un sens seulement, car j'apprends assez vite à jouir d'elle en catimini, quand elle permet que nos étreintes se prolongent un peu.

Les enfants qui vivent à la campagne, même si ce n'est pas dans une ferme, connaissent très tôt la chienne en chaleur poursuivie par les mâles qui la forcent à tour de rôle dans des accouplements longs et douloureux, la génisse amenée au taureau qui pèse deux fois plus lourd qu'elle et lui lèche la vulve glaireuse avant le « coup de sabre », l'étalon que l'on doit aider à pénétrer la jument de sa verge trop grosse, malhabile. Quant à Angélique, elle me raconte en confidence avec une horreur gourmande des cruelles histoires de viol, concernant toutes à l'en croire des adolescentes ou fillettes des environs, qui se terminent parfois, pour corser la scène, par l'égorgement d'une petite victime dont on retrouve le corps meurtri dans un fourré, encore chaude et saignant de partout.

M'ayant fait partager ces émotions par quelques nouveaux détails intimes, couchés cette fois-là l'un contre l'autre sur le sable tiède au creux des rochers, elle chuchote à mon oreille dans un souffle d'aveu, ou comme si elle avait peur d'effrayer un oiseau : « Tu peux regarder sous ma jupe, si tu veux : je n'ai pas mis ma culotte. » Je commence à me méfier de ses pièges et des imprévisibles sautes d'humeur ; je réponds à tout hasard que ça n'est pas vrai. Néanmoins, comme elle sourit gentiment d'un air complice, feignant pour ma part de commettre une agacerie sans conséquence, mais, en réalité, avec autant de précautions que l'enfant de chœur qui ôte, sur l'autel, un carré de soie rose recouvrant le saint graal, je soulève les volants de la courte robe à fleurettes en tissu léger. Elle est nue, en effet. Il y a, au bas de son ventre, un triangle de duvet d'un roux très pâle, de la même couleur que ses cheveux. Sur un ton brusque de commandement, elle dit : « Embrasse ! » Mais avant que j'aie eu le temps de réagir, elle rabat soudain la jupe et bondit sur ses pieds. Immobile et droite à deux pas de moi, m'escrimant en vain à faire partir les grains de sable qu'elle a fait voler dans mes yeux (exprès ?) et qui me brûlent, elle me contemple avec un mépris dont je ne saisis pas la cause. « Ce que tu peux être bête ! » conclut-elle avec une sorte de rage, incompréhensible. Quelques secondes plus tard, sa voix est devenue froide et dure : « Je dirai à maman que tu as voulu me violer. »

La semaine suivante elle a tout oublié, alors que je n'osais pas revenir, me croyant en disgrâce. Il fait une chaleur lourde et orageuse. Elle prend prétexte d'une ondée qui vient de tremper ses vêtements (j'ai bien vu qu'elle s'attardait le plus longtemps possible sous la pluie drue) pour se déshabiller complètement, en un clin d'œil, dans la grange où nous nous sommes réfugiés, dont elle a refermé non sans mal la lourde porte. L'endroit est torride sous son toit d'ardoises minces, un peu oppressant dans la pénombre, encombré parmi l'entrecroisement des colombages à jours, jambes de force et arbalétriers, par des machines au rebut, des hautes roues de charrettes, des chevalets pour scier le bois. Sans montrer la moindre gêne, Angélique étale là-dessus ses affaires mouillées, comme si elle comptait attendre ici que tout soit sec. Eperdu d'envie, je demeure paralysé. Elle a un corps blanc et rose, presque sans hâle (ce qui en accroît l'impudeur), où les régions secrètes sont encore plus laiteuses et quasi luminescentes : ses petites fesses à l'élasticité de satin (je les ai souvent prises entre mes mains, dans nos fausses luttes, mais protégées par la robe et le slip), les reins dont le creux se cambre, une taille déjà marquée entre les hanches qui s'arrondissent et des seins tout neufs, encore menus, dont elle doit être très fière.

Elle ne s'occupe pas de moi, mais elle sait que je l'épie de tous mes yeux. Comme si c'était une chose banale, sans importance, elle dit en regardant ailleurs : « Tu me trouves jolie ? » On dirait qu'elle cherche un miroir. N'obtenant pas de réponse, elle se met à faire de la gymnastique sur des agrès de fortune (elle s'est vantée plusieurs fois d'étudier la danse classique, à Paris). Ayant découvert un paquet de cordelettes avachies qui servent à entraver les animaux, prise d'une inspiration (ou accomplissant au contraire un projet mûri à l'avance ?), elle propose avec détachement : « On devrait jouer au soldat romain et à l'esclave chrétienne. » Elle prétend alors que tout ce qui nous entoure, les assemblages de bois compliqués, les herses de fer et les énormes scies à longues dents (pour débiter les grumes), les treuils, les haches et les billots, ce sont d'anciens instruments de torture ; et elle se met à me raconter la fin édifiante de sa sainte patronne, bienheureuse vierge qui avait juste atteint sa treizième année (affirme-t-elle) le jour de son supplice, en l'an de grâce 304, détail qui — je l'ai vérifié dans un martyrologe illustré, trouvé chez un brocanteur à Vaison-la-Romaine — n'est pas vraiment conforme à ce que rapporte la tradition.

Cette année-là, vers la fin de septembre, Angélique a eu ses premières règles. Ou bien me les avait-elle cachées le mois précédent ? (C'était moins commode en ces temps où n'existaient pas les discrets tampons qui font aujourd'hui de si tapageuses et ravissantes publicités.) Une puberté aussi précoce doit, de toute manière, être exceptionnelle chez une enfant normale, sous nos climats. Et, pour mon malheur, j'ignorais presque tout concernant ces mystères du gynécée, qui n'existent pas chez les femelles des autres mammifères. Depuis l'après-midi de « la jeune martyre », où elle avait aussi voulu inspecter sans vergogne ma différence de garçon, Angélique me laissait l'embrasser, la caresser, et quelquefois prendre à l'aise mon plaisir en me frottant sur elle, toute nue, attachée de préférence : cela lui paraissait peut-être un alibi suffisant, qui excusait en quelque sorte l'abandon de sa peau la plus soyeuse, entre les fesses bien fendues ou au creux de l'aine, contre l'intérieur de sa cuisse et son pubis douillet au frêle pelage d'écureuil. Elle savait ne pas avoir à redouter de moins superficiels dommages.

Mais ensuite, une fois libérée de ses liens convenus, il n'était pas rare qu'elle reprenne ses menaces : si elle me dénonçait, qui voudrait croire qu'elle avait été d'accord ? Aurais-je eu, dans ce cas, besoin de l'attacher ? Et elle me montrait la marque rouge des cordelettes sur ses poignets ou ses chevilles, dont s'effaçaient d'ailleurs en une heure à peine les derniers vestiges, tant j'avais craint de serrer trop fort. (Pourtant, je savais faire des nœuds de marin et cette science, apprise avec les pêcheurs, m'avait d'abord valu quelque prestige aux yeux sévères de ma captive, toujours prompte à railler.) Voyant que j'appréhendais le scandale et qu'elle me tenait en somme à sa merci, par ces chaînes justement dont elle m'obligeait à la contraindre (et qui, du reste, me plaisaient bien : même crucifiée sans trop de rigueur, elle ne pourrait du moins pas s'enfuir, dès que l'envie la prendrait, si je me hasardais à d'inédits embrassements ou à des sévices plus ambigus), elle a bientôt profité de cette situation pour en inverser les rôles, me transformant en une sorte de serviteur soumis à tous ses caprices.

Quand elle m'a demandé de lui caresser l'intérieur du sexe, j'ai pressenti le danger, mais je n'étais plus en mesure de lui refuser quoi que ce fût. La fente interdite paraissait comme à l'habitude rose et nette, bien close. Ainsi qu'elle faisait de temps à autre, Angélique avait rehaussé son odeur enfantine avec le vaporisateur de sa mère, qui était aussi rousse qu'elle et s'accordait aux mêmes parfums. La fille, aujourd'hui, semblait avoir utilisé le précieux flacon sans retenue. Guidé par sa main ferme, j'ai introduit doucement la première phalange du médius là où elle désirait. Je me suis aperçu tout de suite que l'intérieur était liquide, un peu gluant. J'aurais voulu rompre mon engagement maladroit dans cette chausse-trape, mais ma maîtresse me maintenait en place et entendait au contraire que je remue le doigt pour l'enfoncer davantage. Un flot de sang s'est échappé entre les lèvres disjointes et j'ai, d'un geste vif, retiré ma main, qui était rouge comme celle d'un éventreur.

Heureusement, j'étais assis sur un tabouret à traire, sans quoi je serais peut-être tombé, tant le vide avait envahi d'un coup ma tête et tout mon corps. Angélique ne bougeait pas : debout devant moi, jambes ouvertes, elle avait les membres libres (ce dont j'aurais dû me méfier) et, tout habillée, s'était contentée d'ôter sa culotte (quand ? je n'avais rien vu). Elle me regardait d'un air absent, énigmatique. Qu'était-il arrivé ? Je l'avais blessée gravement et elle allait mourir faute de soins, sans que nous osions chercher du secours. Le sang qui avait surgi au bas de la toison rousse, mieux fournie à présent qu'au début des vacances, apparaît dans mes souvenirs abondant et vermeil. Angélique contemplait ma panique sans rien dire, puis elle a laissé retomber son ample jupe plissée en étoffe d'hiver, qu'elle retenait d'une main, et elle a déclaré d'une voix dure, méchante : « Tu m'as déflorée. Je raconterai tout. Tu iras en prison, jusqu'à la fin de ta vie. »

Je savais vaguement ce qu'était l'hymen des jeunes filles, à cause d'une chanson grivoise assez précise dont s'étonnaient mes premières années d'école, puis par les sous-entendus et fanfaronnades des gamins plus âgés, mais je ne soupçonnais pas que l'obstacle eût été si peu profond. Je n'avais d'ailleurs rencontré aucune résistance de la chair. Et pourquoi Angélique restait-elle si calme et paraissait-elle aussi peu émue par la catastrophe ? Toujours sèchement, elle m'a ordonné : « Suce ton doigt ! » Quel remède étrange ! Comme si je m'étais moi-même blessé ? J'ai fait comme elle voulait, totalement abasourdi, puis j'ai léché les phalanges voisines, sur l'index et l'annulaire, et aussi la paume où du sang avait coulé. C'était âcre et douceâtre à la fois. Je n'ai pas osé cracher. Quand ma main a été nettoyée de toute traînée rouge, elle gardait une odeur fade, écœurante, mais ça pouvait être le parfum... Tout à coup, d'autres plaisanteries obscènes me sont revenues à la mémoire, au sujet des filles... Angélique a repris, de sa même voix indifférente et glacée : « Tu trouves que ça sent bon ? Tu ne sais pas ce que c'est ? C'est du sang maudit ! Pendant que tu le buvais, je t'ai jeté un sort. Maintenant, tu es impuissant pour toujours. »

Je ne l'ai pas revue le lendemain, ni le surlendemain. Ni plus jamais. Etait-elle malade ? L'avait-on emmenée à l'hôpital des Bonnes Sœurs, à Saint-Paul-de-Léon ? C'eût été commode de le croire. Mais, au fond de moi, j'ai su tout de suite où elle était cachée.

On a retrouvé son corps au pied de la falaise, à marée basse, en un point réputé dangereux où l'on nous défendait de jouer. Elle flottait entre deux eaux, pâle Ophélie, dans un trou profond et clair entre des roches sombres, arrondies et glissantes. De longues algues rousses ondulaient autour d'elle, laminaires et fouets de Satan, comme pour la retenir par ses membres graciles, mollement étalés. Un goémonnier l'a rapportée sur son tombereau déjà plein. Il n'allait pas faire un voyage supplémentaire, avec son vieux cheval et la côte à remonter, pour la gosse d'une Parisienne, qui de plus était un démon et sa mère aussi peut-être.

Il faisait déjà froid, depuis l'équinoxe et ses tempêtes. L'adolescente était nue. On a pensé que les vagues l'avaient déshabillée. Personne n'a remarqué le paletot de lainage noir qui pendait au-dessus du précipice, bien plus haut que les plus hautes mers. Le médecin a reconnu que sa virginité demeurait intacte, ce qui m'a ôté un poids, pesant sur ma poitrine sans raison. Mais il a relevé des marques légères autour des poignets et des chevilles, sans doute la trace de bracelets improvisés comme s'en confectionnent les fillettes, d'élastiques trop tendues sur des socquettes neuves, de ses extenseurs pour la gymnastique, ou d'on ne sait quels absurdes jeux d'enfants.

J'ai dit que je ne l'avais pas vue depuis plusieurs jours et que je ne savais rien. Personne n'a insisté. Ça pouvait aussi bien être un suicide (quelque chagrin d'amour juvénile), ou le crime d'un maniaque : voyageur de passage ou forain. La rapide enquête a conclu avec sagesse à l'accident. Son menu cercueil d'ébène, aux ornements et poignées en argent, avec encore une croix d'argent incrustée dans le couvercle, est parti pour j'ignore quel lointain cimetière sur un char funèbre tiré par quatre chevaux noirs, qu'on avait attelés l'un devant l'autre à cause de l'étroitesse des chemins creux.

J'ai moi-même quitté depuis longtemps la maison natale. Je ne suis pas non plus au Mesnil, mais à Greensboro, dans les Carolines. J'y vis seul. Nous sommes le 12 octobre 1987. Dehors, il ne neige pas.

TABLE

251

252